Deus não é cristão

e outras provocações

Desmond Tutu

Prêmio Nobel da Paz

Deus não é cristão

e outras provocações

Organizado por John Allen

Traduzido por Lilian Jenkino

Thomas Nelson Brasil

Rio de Janeiro – 2012

Título original
God is not a Christian: and other provocations

Publisher	*Omar de Souza*
Editor responsável	*Renata Sturm*
Produção editorial	*Thalita Aragão Ramalho*
Capa	*Douglas Lucas*
Tradução	*Lilian Jenkino*
Copidesque	*Fernanda Silveira*
Revisão	*Clarisse Cintra*
Diagramação e projeto gráfico	*Gabriella Rezende*

CIP-BRASIL. CATALOGAÇÃO-NA-FONTE
SINDICATO NACIONAL DOS EDITORES DE LIVROS, RJ

T89d

Tutu, Desmond, 1931-
Deus não é cristão / Desmond M. Tutu; tradução: Lilian Jenkino. - Rio de Janeiro: Thomas Nelson Brasil, 2012.

Tradução de: God is not a Christian
ISBN 978-85-603-0334-2

1. Cristianismo e outras religiões. I. Título.

12-2723. CDD: 261.2
CDU: 27.1

Thomas Nelson Brasil é uma marca licenciada à Vida Melhor Editora S.A.

Rua Nova Jerusalém, 345 – Bonsucesso
Rio de Janeiro – RJ – CEP 21402-325
Tel.: (21) 3882-8200 – Fax: (21) 3882-8212 / 3882-8313
www.thomasnelson.com.br

Deus abençoe nosso mundo
Guarde as nossas crianças
Guie nossos líderes
E nos dê paz
Em nome de Jesus Cristo.
Amém.

— *adaptado por Desmond Tutu de uma oração de Trevor Huddleston*

Sumário

Prefácio 11

Prefácio do editor 13

Prefácio da edição brasileira 17

PRIMEIRA PARTE

ADVOGADO DA TOLERÂNCIA E DO RESPEITO

CAPÍTULO 1 23

É CLARO QUE DEUS NÃO É CRISTÃO

Súplicas pela tolerância entre os credos

CAPÍTULO 2 41

UBUNTU

Sobre a natureza da comunidade humana

CAPÍTULO 3 45

NÃO HÁ FUTURO SEM PERDÃO

Um programa radical de reconciliação

CAPÍTULO 4 57

E QUANTO À JUSTIÇA?

Argumentos em favor da justiça restauradora

CAPÍTULO 5 67

NOSSA GLORIOSA DIVERSIDADE

Por que deveríamos celebrar a diferença

Capítulo 6 71
Todos, todos são filhos de Deus
Sobre a inclusão de gays e lésbicas na igreja e na sociedade

SEGUNDA PARTE
Defensor internacional da justiça

Capítulo 7 77
A liberdade é mais barata que a repressão
Sobre a democracia na África

Capítulo 8 91
Cuidado! Cuidado!
Sobre a esperança e os direitos humanos em situações de conflito

Capítulo 9 103
Nossa salvação está nas mãos dos judeus
Sobre o conflito israelo-palestino

TERCEIRA PARTE
A voz dos sem-voz da África do Sul

Capítulo 10 129
Por que negra?
Uma defesa da teologia negra

Capítulo 11 143
Estou aqui diante de vocês
Por que os cristãos precisam estar envolvidos na política

Capítulo 12 155
Absolutamente diabólico
Apelo de um companheiro cristão à moralidade

Capítulo 13 163
Não bíblico, não cristão, imoral e perverso
Quando as leis humanas confrontam a Lei de Deus

QUARTA PARTE
A CONSCIÊNCIA DA ÁFRICA DO SUL

CAPÍTULO 14 — 181
DEVEMOS NOS TORNAR O FOCO DE NÓS MESMOS
Sobre o ódio, a vingança e a cultura da violência

CAPÍTULO 15 — 191
ZERO PARA SEU CONSOLO
Uma crítica de camaradas e amigos

CAPÍTULO 16 — 209
O QUE ACONTECEU COM VOCÊ, ÁFRICA DO SUL?
O preço da liberdade é a eterna vigilância

Notas — 229

Prefácio

Alguns amigos não acreditam em mim quando digo que sou, por natureza, uma pessoa que evita confrontações. Durante toda a minha vida tenho tentado imitar minha mãe, considerada pela família como gentil "consoladora dos aflitos". Porém, sempre que vejo um inocente sofrendo, oprimido pelos ricos e poderosos, então, como diz o profeta Jeremias, se tento ficar quieto, é como se a Palavra de Deus ardesse como fogo em meu peito. Sinto-me forçado a abrir a boca, chegando até a discutir com Deus, inquirindo de que modo um criador tão amoroso permite que algo assim aconteça.

Quando anunciei há pouco tempo minha aposentadoria da vida pública, disse que gostaria de tirar o pé do acelerador e passar mais tempo lendo e escrevendo, pensando e orando ao lado da minha família. Também disse que, apesar de dar continuidade a algumas de minhas atividades como ganhador do Nobel da Paz, eu iria adotar um perfil público mais reservado e deixaria de dar entrevistas para jornalistas.

Depois de refletir sobre tudo o que escrevi e disse ao longo dos últimos quarenta anos, pude perceber como será difícil me calar. (Reflexão que também me lembrou de como era machista o meu discurso quando jovem!) Sempre que vejo e leio sobre o sofrimento, a dor e os conflitos que as pessoas de Deus enfrentam, percebo o apelo que há por um envolvimento passional das pessoas de fé na defesa dos valores do Reino de Deus.

Não obstante, ninguém é indispensável, nem mesmo eu; porém, o que continua a me dar esperança e confiança no alto dos meus quase oitenta anos é a notável paixão por paz e justiça que experimentei ao conhecer e conversar com milhares de jovens por todo o mundo nesses primeiros anos do século 21. Quando percebo o comprometimento desses jovens, sei que o mundo está em boas mãos.

Na igreja de Sant'Egidio, em Roma, lar de uma comunidade extraordinária de pessoas leigas e devotadas a trabalhar pelos pobres, há um antigo crucifixo que retrata Cristo sem os braços. Quando perguntei sobre a importância que a imagem tinha para a comunidade, me disseram que ela serve para mostrar como Deus confia em nós para realizar sua obra no mundo.

Sem nós, Deus não tem olhos; sem nós, Deus não tem ouvidos; sem nós, Deus não tem braços nem mãos. Deus confia em nós. Você não vai se juntar às pessoas de fé como colaborador de Deus no mundo?

— *Desmond Tutu, abril de 2011*

Prefácio do editor

Se os motivos para Desmond Tutu ter se tornado um dos mais eminentes defensores da justiça social baseada na fé e na tolerância religiosa pudessem ser resumidos em uma causa sucinta e única, seria esta: a determinação feroz e inflexível de dizer a verdade como ele a vê.

Nos primeiros anos de sua vida pública, a coragem de erguer a voz com paixão e destemor contra o regime do *apartheid*, em um tempo em que a maioria dos líderes políticos da África do Sul estavam presos, exilados, banidos ou enfrentando torturas e assassinatos, fez dele um herói para a maior parte dos negros sul-africanos. No entanto, como escreveria Nelson Mandela mais tarde, também fez dele o "inimigo público numero um" da maior parte dos brancos — alvo de ameaças de morte e, como mais tarde ficou provado, também de sérios atentados contra a vida.

Essa situação só mudou depois da libertação de Mandela e da transição para a democracia, quando Tutu se tornou um crítico atento de seus amigos e primeiros aliados na luta contra o regime do *apartheid*, assim como havia feito com o governo que os antecedera. Ao mesmo tempo, Tutu usou as credenciais da luta contra o regime segregacionista para expandir sua campanha por justiça e pelos direitos humanos na África e no mundo, em situações de injustiça e de opressão política que atingiram da Etiópia marxista e do Zaire alinhado aos interesses ocidentais ao Oriente Médio e o Panamá sob controle militar.

Mas ele não parou por aí: os valores que sustentam sua causa — advindos da fé e da visão de uma humanidade unida com base no conceito do espírito africano de *ubuntu* ("uma pessoa só é uma pessoa por intermédio de outras pessoas") — fizeram com que ele erguesse a bandeira contra a intolerância em geral, defendendo a compreensão e a cooperação entre os diferentes credos e atacando o fundamentalismo religioso e a perseguição de minorias como gays e lésbicas. A franqueza e a prontidão de Tutu para dar voz ao que parece, ao menos de início, ser heresia fizeram dele um ícone e um para-raios de controvérsias — um homem que podia ser aclamado como herói de uma multidão em um dia e forçado a encarar uma multidão de assassinos no outro.

Tendo acompanhado o exercício de seu ministério ao longo de 35 anos, quer seja nos estádios da África do Sul — incentivando o moral do povo com sua retórica instigante, canalizando a raiva na direção da criatividade e debelando a violência — ou em reuniões a portas fechadas com ditadores, líderes do mundo ocidental ou sionistas irados pela sua identificação com os palestinos, pude ver que o melhor de Tutu surgia quando precisava encarar as situações mais desafiadoras. Quando foi chamado para pregar as mensagens mais impopulares — às vezes para seus adversários, outras para simpatizantes — é que ele pode articular valores, ideais e fé de modo mais intenso e persuasivo.

Espero que esta obra reflita a face de Desmond Tutu. Como uma série de textos que reflete uma vida de ação em vez de ruminações de um pensador, ela abrange uma gama de materiais:

intervenções improvisadas, respostas a perguntas de jornalistas, cartas e trechos abreviados e extensos de discursos, sermões e demais escritos condensados e editados com o propósito da clareza, quando necessário.

— *John Allen*

Prefácio da edição brasileira

O contato com o pensamento, as histórias e o testemunho de fé de Desmond Tutu, arcebispo da Cidade do Cabo (a mais alta posição da Igreja Anglicana da África do Sul), causou profundo impacto em minha peregrinação espiritual. Reverenciado no mundo todo como uma das mais respeitadas vozes da resistência ao regime de discriminação contra a população negra da África do Sul, conhecido como *apartheid*, Tutu presidiu a *Comissão de Reconciliação e Verdade*, responsável por encaminhar um fim não violento àquela época de racismo e violência, e promover a integração racial na era inaugurada pela eleição democrática de Nelson Mandela. Sua história de defesa dos direitos humanos foi reconhecida mundialmente com o Prêmio Nobel da Paz, em 1984; o Prêmio Albert Schweitzer por Humanitarismo, em 1986; e o Prêmio Gandhi da Paz, em 2005.

Embora tenha presenciado as mais cruéis expressões da maldade humana, os atos mais hediondos de violência e crimes inomináveis justificados equivocadamente em nome de Deus e da religião, seu semblante com o sorriso largo que caracteriza os homens felizes é uma evidência irrefutável de que é possível, sim, atravessar o sofrimento sem perder a ternura e a crença no triunfo da bondade na história da humanidade. Anseio chegar ao fim dos meus dias com a mesma serenidade, esperança e alegria de Desmond Tutu.

O mundo ocidental usualmente caracteriza a experiência religiosa como alienação, covardia e infantilidade. Para a maioria das pessoas, a religião fica restrita aos dogmas, ritos e tabus morais, distantes da cruel realidade que assola grande parte da população mundial: opressão e injustiça, pobreza e fome, doença e sofrimento, violência e morte. Desmond Tutu, entretanto, oferece outro paradigma de pastoralidade. Seu caminho de fé é percorrido de mãos dadas com a generosidade e o serviço aos pobres, pois seu Deus é companheiro da justiça e da solidariedade, da compaixão e do perdão. O serviço a Deus, que é Pai de toda a família humana, criada à sua imagem e semelhança, implica necessariamente o enfrentamento de todos os fundamentalismos – ideológicos, políticos e religiosos –, bem como a promoção da tolerância e o convite à fraternidade universal. Desmond Tutu é um modelo pastoral.

Deus não é cristão e outras provações é a terceira obra do Arcebispo Desmond Tutu publicada pela Thomas Nelson Brasil. Sua mensagem pode ser resumida na afirmação de que "nossa fé, a sabedoria que diz que Deus está no comando, deve nos preparar para assumir o risco, para sermos aventureiros e inovadores; sim, para ousarmos caminhar onde até mesmo os anjos temem caminhar."

Estas palavras revelam o espírito desse homem de fé e ressaltam sua produção teológica e literária como relevante e imprescindível. Mais do que isso, avisam desde cedo que você, leitor, precisará de coragem para mergulhar nestas páginas, pois cada capítulo exigirá o exercício inevitável de avaliar sua experiência religiosa, ressignificar suas crenças e aprofundar sua caminhada de fé.

A leitura deste livro trará a você novas percepções a respeito do significado e da relevância da atividade pastoral no mundo.

Convidará você a abandonar os estreitos limites das questões religiosas institucionais e dos estéreis debates teológicos confessionais e o arremessará à reflexão piedosa que encara os grandes dilemas da humanidade.

A experiência de Deus implica o caminho do amor, do perdão e da reconciliação como alternativas indispensáveis para um mundo com sinais mais abrangentes de liberdade, justiça e paz. Essa não é apenas a mensagem de Desmond Tutu, mas também e principalmente sua história.

Ed René Kivitz é teólogo, escritor e pastor da Igreja Batista de Água Branca, em São Paulo.

São Paulo, maio de 2012.

Primeira parte

●

Advogado da tolerância e do respeito

Capítulo 1

É claro que Deus não é cristão

Súplicas pela tolerância entre os credos

Nada sintetiza mais o radicalismo de Desmond Tutu (e aqui a palavra radicalizar, *como ele gosta, é usada no sentido original de chegar à raiz do problema) quanto seu ponto de vista sobre o relacionamento da fé com a fé do próximo. Este capítulo contém pensamentos que ele expressou em quatro ocasiões, revelando uma perspectiva renovadora, inspiradora e, também, radical, que se tornou oportuna especialmente no mundo após o 11 de setembro.*

1

O texto a seguir é um trecho de um sermão realizado na igreja St. Martin in the Field, na Trafalgar Square, em Londres, durante um encontro de líderes mundiais da igreja anglicana depois da queda do muro de Berlim e do fim da Guerra Fria que evidencia as escrituras cristãs como base de sua abordagem.[1]

Não é notável que, na parábola do Bom Samaritano, Jesus não dê uma resposta direta para a pergunta "Quem é o meu próximo?" (Lucas 10:29)? Decerto ele poderia ter compilado uma lista de pessoas a quem o escriba poderia amar como a ele mesmo, assim como exigia a lei. Mas Jesus não faz isso. Ao contrário, ele conta uma história. É como se Jesus quisesse, entre outras coisas, ressaltar que a vida é um pouco mais complexa; a vida contém muitas ambivalências e ambiguidades que nem sempre permitem uma resposta direta e simplória.

Essa ambivalência é uma enorme bênção, porque em tempos como o nosso — tempos de mudança, em que muitos pontos de referência conhecidos estão mudando ou desaparecendo —, as pessoas se sentem desnorteadas; elas anseiam por respostas diretas e sem ambiguidade. Parece que estamos ficando pobres em diversidade no campo das etnias, dos credos religiosos, nos pontos de vista políticos e ideológicos. Há muita impaciência com qualquer coisa e qualquer pessoa que sugira outra perspectiva, outro modo de olhar para a mesma questão, outra resposta que seja digna de investigação. Há uma nostalgia que clama pela segurança ventral de uma igualdade segura, de modo que deixamos de fora o que é estranho e diferente; procuramos essa segurança nas pessoas que tenham respostas que não possam ser atacadas, porque ninguém tem permissão de discordar, de questionar. Há um anseio pela homogeneidade e uma alergia ao outro, ao diferente.

Porém, Jesus parece dizer ao escriba: "Ei, a vida fica mais divertida quando você tenta trabalhar as implicações de sua fé em vez de viver na rotina, com respostas pré-fabricadas e gastas, quando se tenta encaixar um paradigma imutável a um mundo em transformação, em ebulição e perplexidade e, mesmo assim, fascinante." Nossa fé, a sabedoria que diz que Deus está no comando, deve nos preparar para assumir o risco, para sermos aventureiros e inovadores; sim, para ousarmos caminhar onde até mesmo os anjos temem caminhar.

2

Este trecho também vem de um encontro na Inglaterra, no qual Tutu se dirige aos líderes de diferentes credos durante uma missão à cidade de Birmingham, em 1989.

Conta-se a história de um bêbado que atravessou a rua e interpelou um pedestre, perguntando: "Dish pra mim, onde é o ooooutro lado da rua?" O pedestre, um pouco confuso, respondeu: "*Aquele* lado, é claro!" Então disse o bêbado. "Eshtranho. Quando eu eshtava do ooooutro lado, me disseram que era bem aaaqui." O outro lado da rua depende do lado em que *nós* estamos. A perspectiva depende do contexto, daquilo que contribuiu para a nossa formação; a religião é uma das mais potentes dessas influências formadoras e ajuda a determinar como e o que apreendemos da realidade e como operamos em um contexto específico.

Meu primeiro argumento parece deveras simples: os acidentes do nascimento e da geografia determinam, em grande medida, a que fé você pertence. São enormes as chances de você ser muçulmano se você nasceu no Paquistão; ou hindu, se por acaso nasceu na Índia; ou xintoísta, se você nasceu no Japão; e cristão, se você nasceu na Itália. Não sei que fato relevante pode ser concluído com isso — talvez o fato de que não devamos sucumbir com tanta facilidade à tentação dos clamores exclusivistas e dogmáticos de um monopólio da verdade controlado pela fé que temos em particular. Seria perfeitamente razoável imaginar você como um seguidor da fé que agora denigre, caso tivesse nascido lá e não aqui.

Meu segundo argumento é este: não insultar os seguidores de outros credos ao sugerir, como já aconteceu, que, por exemplo, quando você é cristão, os seguidores de outros credos são cristãos também, ainda que não se deem conta. É preciso reconhecer os próximos pelo que são em toda a sua inteireza, permitindo que as crenças do próximo se mantenham firmes. É preciso receber o próximo e respeitá-lo por quem ele é, pisar no solo que para ele é sagrado de maneira reverente, tirando os sapatos, tanto metafórica quanto literalmente. É preciso manter-se firme às crenças que temos, sem fingir que todas as religiões são a mesma coisa, pois claramente não o são. É preciso estar disposto a aprender um com o outro, sem afirmar que temos a verdade absoluta e que, de algum modo, temos uma visão privilegiada de Deus.

Precisamos reconhecer, com humildade e alegria, que a realidade sobrenatural e divina que todos amamos, de uma maneira ou de outra, transcende todas as nossas categorias particulares de pensamento e de imaginação e que, por causa do divino — seja lá o nome que ele recebe, seja lá o modo como é concebido ou compreendido — é infinito e nós somos eternamente finitos, de modo que jamais poderemos compreendê-lo por inteiro. Assim, devemos compartilhar toda inspiração que podemos e devemos estar dispostos a aprender, por exemplo, com as técnicas da vida espiritual que estão disponíveis nas religiões que não a nossa. É interessante notar que a maior parte das religiões tem algum ponto de referência transcendental, um *mysterium tremendum*, que se torna conhecido quando ele se digna a revelar a si mesmo, a si mesma, à humanidade; que a realidade transcendental é repleta de compaixão e de cuidado; que os seres humanos são, de alguma maneira, criaturas dessa realidade suprema, supramundana, com um destino mais elevado que anseia por uma vida eterna em grande proximidade do divino, seja por uma absorção sem distinção entre criador e criatura, entre o divino e o humano, ou em maravilhosa intimidade que ainda guarda distinções entre essas duas ordens diferentes de realidade.

A leitura dos clássicos de diferentes religiões em matéria de oração, meditação e misticismo possibilita encontrar uma convergência substancial, o que é motivo de celebração. Muito existe que conspira para nos separar; portanto, celebremos aquilo que nos une, aquilo que temos em comum.

Decerto é bom saber que Deus (na tradição cristã) criou a todos (não só os cristãos) à sua imagem, em nós investindo valor infinito, e que foi com toda a humanidade que Deus estabeleceu uma aliança, retratada pela aliança com Noé quando Deus prometeu que não tornaria a destruir sua criação com água. Decerto podemos celebrar que a palavra eterna, o Logos de Deus, a todos ilumina — não só os cristãos, mas todos os que nascem neste mundo; que aquilo que chamamos Espírito de Deus não é um patrimônio cristão, pois o Espírito de Deus já existia muito antes de existirem cristãos, inspirando e alimentando homens e mulheres no caminho da santidade, levando a humanidade à fruição, trazendo à tona tudo que de melhor há em todos nós.

Com efeito, diminuímos a justiça e a honra a Deus quando desejamos, por exemplo, negar que Mahatma Gandhi foi uma alma grande e verdadeira, um homem santo que andou muito próximo de Deus. Nosso Deus seria muito pequeno se ele não fosse também o Deus de Gandhi: se Deus é *um só*, como acreditamos, então ele é o único Deus de todo o seu povo, quer o povo assim o reconheça ou não. Deus não precisa da nossa proteção. Muitos precisam ter a noção de Deus aprofundada e expandida. É comum ouvir, meio que de brincadeira, que Deus criou o homem à sua imagem e que o homem devolveu a gentileza, colocando uma sela em Deus com seus preconceitos mesquinhos e com a exclusividade, com fraquezas e com um temperamento volúvel. Deus continua sendo Deus, quer tenha adoradores ou não.

Essa missão em Birmingham à qual fui convidado é uma celebração cristã, na qual tornaremos a declarar Cristo como único e como o Salvador do mundo, esperando que possamos viver nosso credo de modo que ele glorifique a fé com eficiência. Não obstante, nossa conduta muito contradiz a profissão de fé que fizemos. Fomos feitos para proclamar o Deus do amor, mas, como cristãos, somos culpados de semear o ódio e a suspeição; glorificamos aquele a quem chamamos Príncipe da Paz, mas, como cristãos, travamos mais guerras do que nos importamos em recordar. Proclamamos ser uma irmandade de compaixão, de cuidado e de partilha, mas, como cristãos, muito santificamos sistemas sociopolíticos que desmentem esse credo, em que o rico fica cada vez mais rico e o pobre cada vez mais pobre; em que aparentemente santificamos uma competitividade furiosa, tão implacável a ponto de ser adequadamente comparada a uma selva.

3

O argumento teológico em favor da tolerância entre os credos mais detalhado de Tutu foi dirigido a companheiros cristãos em uma palestra, em 1992, dedicada à memória do arcebispo católico da Cidade do Cabo, Stephen Naidoo, com quem Tutu muito trabalhou para debelar diversos conflitos na mesma cidade na década de 1980.

A maioria dos cristãos acredita obter uma procuração para sustentar os gritos de exclusividade a partir da Bíblia. Jesus de fato diz que ninguém chega ao Pai a não ser por ele e nos

Atos dos Apóstolos ouvimos ser proclamado que não há outro nome sob o céu que seja dado para a salvação (João 14:6; Atos dos Apóstolos 4:12). Tais passagens parecem categóricas o suficiente para tornar qualquer discussão supérflua. Mas será que isso é *tudo* que a Bíblia diz, sem que nada haja, por assim dizer, em favor da inclusão e da universalidade, e será que esse clamor por exclusividade parece razoável à luz da história e do desenvolvimento humano?

Felizmente para aqueles que declaram que o Cristianismo não detém direitos proprietários e exclusivos sobre Deus, como se Deus fosse um cristão de verdade, há uma extensa coleção de evidências bíblicas que sustentam tal argumento. O Evangelho de João, em que Jesus clama ser o meio exclusivo de acesso ao Pai, bem em seu início traz uma declaração ainda mais cósmica e espantosa, dizendo que Jesus é a Luz que ilumina a *todos*, não só os cristãos (João 1:9). Em Romanos, São Paulo ressalta que todos são condenados pelo pecado diante de Deus — tanto judeus quanto gentios (Romanos 3:9). Tal argumento, central para os ensinamentos que ele pretende disseminar, é encontrado em uma epístola que trata da maravilha da absolvição universal. A graça de Deus, livremente concedida por intermédio de Jesus Cristo, seria inalcançável se não houvesse a universalidade do pecado. Segundo Paulo, o pecado consiste da contravenção deliberada da lei de Deus. Parece não haver aqui qualquer dúvida quanto ao judeu que recebe a Torá e que regularmente a viola. Mas e quanto ao caso do gentio, o pagão que parece privado de uma lei divina a qual poderia violar de modo a permanecer sob divino julgamento? Se não recebeu lei alguma, então não pode ser, absolutamente, julgado pelos erros diante de Deus. Paulo então declara que o gentio também recebeu a lei, que reside em sua consciência (Romanos 2:15). Cada uma das criaturas de Deus tem a capacidade de conhecer alguma coisa sobre Deus a partir das evidências que Deus deixa em sua obra (Romanos 1:18-20); essa é a base da teologia natural e da lei natural. Immanuel Kant falou sobre o imperativo categórico. Todas as criaturas humanas têm certa consciência de que algumas coisas podem ser feitas, do mesmo modo com que outras não devem ser feitas. Trata-se de um fenômeno universal — o que muda é o conteúdo da lei natural. Paulo e Barnabé invocam os mesmos princípios no discurso feito em Listra, quando foram considerados divindades (Atos dos Apóstolos 14:15-17). No discurso do Areópago, Paulo fala sobre como Deus criou todos os seres humanos de um só e como deu a todos o chamado, a fome pelas coisas divinas de modo que todos buscassem a Deus e talvez o encontrassem, acrescentando que Deus não está distante, uma vez que todos (não apenas os cristãos) nós respiramos, nos movemos e nele vivemos (Atos dos Apóstolos 17:22-31). Dirigindo-se aos pagãos, Paulo declara que somos todos rebentos de Deus.

Um importante princípio da hermenêutica conclama a não tomar os textos da Bíblia isoladamente e fora de contexto, orientando-nos a usar a Bíblia para interpretar a própria Bíblia, assim ajudando a garantir que a interpretação seja feita *a partir* da Bíblia em exegese, não *com* a Bíblia ou uma interpretação pessoal. Outro princípio a esse relacionado conclama a perguntar se aquilo que estamos dizendo é consistente com a revelação que Deus fez de si mesmo de maneira plena e definitiva (como creem os cristãos) em Jesus Cristo.

O que estou tentando dizer aqui é que a frase "ninguém vem ao Pai, a não ser por mim" não precisa ser interpretada como se estivesse se referindo apenas ao Logos encarnado, pois também houve o Logos preexistente, como atesta o Evangelho de João (João 1:1). Isso implica dizer que o Logos anterior ao encarnado servia para conduzir as pessoas ao conhecimento de

Deus, uma atividade reveladora que antecede o Cristianismo. Pois não afirma Hebreus que Deus, em diversas ocasiões e de diferentes maneiras, falou com os pais do passado por intermédio dos profetas (Hebreus 1:1)?

Pois se esse não é o caso, então precisamos fazer algumas perguntas ainda mais embaraçosas. Qual seria o decreto divino em vigência em que não vigora o Deus cristão? Qual seria, então, o destino daqueles que viveram antes de Jesus ter nascido nesta terra? Será que aquelas pessoas estavam totalmente privadas do conhecimento de Deus? Como é que poderiam ser culpados por algo sobre o qual nada poderiam fazer? De que maneira tais pessoas poderiam tomar conhecimento de Deus por intermédio de Jesus Cristo muito antes de Jesus Cristo sequer existir? O próprio Jesus considera a Lei e os Profetas — a parte da Bíblia conhecida como Antigo Testamento — como peremptórios, isto é, reveladores de certos aspectos da vontade de Deus, como acontece quando Jesus apela para a narrativa da criação sobre a indissolubilidade do casamento (Mateus 19:3-6). Ele cita a passagem com aprovação ao exortar aqueles que são farisaicos no clamor por observâncias religiosas externas a descobrirem o que significa a frase "desejo misericórdia, não sacrifícios" (Mateus 12:7). De que modo aqueles que antecederam a Jesus Cristo poderiam tomar conhecimento de Deus da mesma maneira como agora o sabemos, pela familiaridade com o divino, se não pela aceitação de que o Logos preexistente já estava ativo no mundo de Deus muito antes de o Cristianismo conhecer a luz do dia?

É claro que Deus não é cristão. Seus cuidados são para todos os seus filhos. Há uma história judaica que diz que logo após o episódio do afogamento dos egípcios no mar Vermelho, enquanto os israelitas celebravam, Deus os interpelou: "Como podeis celebrar quando meus filhos se afogaram?"

A Bíblia deixa a posição das pessoas que lançam mão de clamores exclusivistas para o Cristianismo ainda mais indefensável quando a investigação vai além. E quanto a Abraão? Será que ele teve mesmo um encontro com Deus quando decidiu deixar seu povo e seguir por um rumo que não conhecia? Será que ele estaria delirando ou será que ele de fato atendia a algum comando? A existência do povo de Israel, e em última instância, a existência da igreja cristã e do *heilsgeschichte* — a história de nossa salvação — proclama que ele não estava louco. E quanto a Moisés? Será que ele encontrou Deus no arbusto em chamas e recebeu a missão de ir até o faraó ou não? Parece que a teofania dele foi genuína, já que o Êxodo de fato aconteceu e Deus deu a seu povo a Torá e os acompanhou pelo deserto durante quarenta anos, conduzindo-os depois à Terra Prometida. Se tudo isso aconteceu, então qual Deus foi o responsável, se não o Deus e Pai de nosso Senhor e Salvador Jesus Cristo? Como monoteístas clamamos, em narrativas como as de Abraão e Moisés, que *era* possível ter uma experiência religiosa autêntica na qual se podia encontrar a Deus muito antes do surgimento do Cristianismo. Isso de certo significa que as pessoas conseguiam de algum modo, talvez inescrutável para alguns, mas claramente produzido pela graciosidade divina, chegar a Deus e ter um relacionamento profundo e verdadeiro com ele muitos séculos antes do advento de Cristo.

Que os cristãos não têm monopólio sobre Deus é uma observação quase banal. Seria preciso ignorar como se fossem delírios e vaidades das profundas verdades religiosas e éticas propostas por grandes nomes como Ezequiel, Isaías e Jeremias; seria preciso dispensar voluntariamente, por exemplo, os cânticos do "servo sofredor". E de que maneira Jesus poderia clamar ter vindo para cumprir, e não destruir, aquilo que fora proclamado e antevisto nas escrituras não cristãs e na vida de uma comunidade não cristã?

De que maneira pode-se esperar compreender o Novo Testamento, e consequentemente o Cristianismo, separado do Antigo Testamento? Como pode haver validade na tipologia do Novo Testamento quando, por exemplo, Jesus é descrito como o segundo Adão, como a nossa Páscoa, como Filho de Davi, como o Messias, como a Rocha, a menos que admitamos que esses esboços, essas predições na antiga revelação se referiam a encontros autênticos com o divino? E como é possível para Deus ter criado os seres humanos, todos eles, à sua imagem sem ter capacitado a todos com algum senso, alguma consciência de sua verdade, beleza e bondade? Caso o contrário fosse verdadeiro, então a capacidade do criador seria questionável. A Bíblia, como vimos, afirma o que parece ser uma posição razoável: que todas as criaturas humanas de Deus, de algum modo, têm a fome divina relatada por Santo Agostinho em seu famoso dito: "Fizeste-nos para ti e inquieto está o nosso coração enquanto não repousar em ti."

Uma vez que sejamos compelidos pelo peso das provas a ceder ao pensamento de que talvez Deus tenha se revelado ao povo judeu e que, de algum modo, era possível aos judeus chegar a Deus, então se torna um tanto inaceitável fazer dessa a única exceção. Afinal esse mesmo povo pôde dar exemplos de não israelitas sentindo o chamado de Deus, como quando Isaías fala sobre a Assíria como a vara de Deus que serviu para dispensar sua ira sobre o povo rebelde, ou quando o povo se refere a Ciro, o rei pagão não israelita, como ungido de Javé, como o Messias de Javé (Isaías 10:5; 45:1-4). Seria difícil encontrar sentido na condenação de um Amós ou de um Jeremias que se levantaram contra nações pagãs sem que eles tivessem a capacidade de conhecer as demandas de Javé! Decerto é muito mais sensato sustentar que Deus estava, e está, acessível a todas as criaturas humanas e que era possível ter um encontro verdadeiro com Deus antes da revelação do Cristianismo. Tal posição traz mais honra à bondade, à misericórdia e à justiça de Deus do que o raciocínio contrário.

Clamar que Deus é uma exclusividade dos cristãos é torná-lo muito pequeno e, em verdade, seria uma blasfêmia. Deus é maior do que o Cristianismo e cuida de mais do que apenas dos cristãos. Essa é uma *necessidade*, ainda que pelo simples motivo de que os cristãos entraram muito tardiamente no cenário mundial. Deus está aqui desde antes da criação, e isso é bastante tempo.

Se o amor de Deus se limita aos cristãos, então qual será o destino de todos aqueles que existiram antes de Cristo? Será que estarão condenados à perdição eterna por uma culpa que não lhes é própria, como deve acontecer se a posição do exclusivismo for levada ao cabo da sua conclusão lógica? Fosse esse o caso, acabaríamos em uma situação totalmente insustentável de um Deus que pode ser culpado de ter uma justiça bizarra. Decerto é mais aceitável e consistente com o que Deus revelou de sua natureza em Jesus Cristo, sem violar nossa sensatez moral, dizer que Deus aceita como algo que lhe agrada toda vida vivida à melhor luz disponível, guiada pelos ideais mais sublimes que se podem divisar. Não é desonra alguma para Deus dizer que *toda* verdade, *todo* senso de beleza, *toda* consciência e *todo* desejo de bondade tem apenas uma fonte, e que essa fonte é Deus, o qual, por sua vez, não pode ser confinado a um lugar, a um tempo e a um povo.

Meu Deus e, espero, o seu Deus não está apenas sentado, preocupado e pensando que uma profunda verdade religiosa ou que uma grande descoberta científica será feita por um não cristão. Deus se alegra por ver que suas criaturas humanas, independentemente de raça, cultura, gênero ou fé religiosa, estão fazendo grandes avanços na ciência, na arte, na música, na ética, na filosofia e na lei, apreendendo com habilidade cada vez maior a verdade, a beleza e a bondade que emanam de Deus. Nós também devemos partilhar a alegria divina, celebrando que tenham existido pessoas maravilhosas como Sócrates, Aristóteles, Heródoto, Hipócrates, Confúcio e outros. Não é óbvio que os cristãos não têm o monopólio da virtude, da capacidade intelectual e do senso estético? E, ainda bem, isso não acontece. Será que Deus sentiu desonra por Mahatma Gandhi ser hindu? Não deveríamos estar contentes por ter havido uma grande alma que inspirou outros com os ensinamentos da *satyagraha*, que inspirou o cristão Martin Luther King Jr. em sua campanha pelos direitos civis? Será que precisamos ser tão ridículos a ponto de afirmar que o que Mahatma Gandhi fez foi bom, mas que teria sido melhor se ele fosse cristão? Que provas nós temos de que os cristãos são melhores? Não é verdade que as provas costumam apontar na direção contrária?

Também não devemos ser lembrados de que a fé à qual pertencemos é muito mais uma questão de um acidente histórico e geográfico do que de uma escolha pessoal? Caso tivéssemos nascido no Egito antes da era cristã, é provável que acabássemos adoradores de Ísis, e se tivéssemos nascido na Índia, e não na África do Sul, seriam muito, muito grandes as chances de acabarmos como hindus em vez de cristãos. É preocupante pensar que muita coisa depende dos caprichos do destino, a menos que isso sirva para nos fazer mais modestos e menos dogmáticos em nossas crenças. Deus não pode desejar que seu povo seja cristão e, ao mesmo tempo, colocar as probabilidades de modo tão desfavorável a ponto de puni-lo pelo fracasso. Esse Deus me parece perverso demais para fazer com que eu deseje adorá-lo. Alegra-me saber que o Deus que eu adoro é bastante diferente.

Não podemos cometer o erro de julgar os outros credos por seus aspectos ou seguidores menos atraentes. É possível apontar o dedo para os cristãos, por exemplo, ao citar as Cruzadas, as atrocidades do Holocausto ou os excessos do *apartheid*. Sabemos que isso seria uma extrema injustiça, uma vez que já afirmamos que tais casos foram aberrações, distorções, desvios. E o que dizer de Francisco de Assis, madre Teresa, Albert Schweitzer e todas as outras pessoas e coisas belas e maravilhosas que pertencem ao Cristianismo? Deveríamos lidar com os outros credos com o que têm de melhor e mais elevado, com o que usam para definir a si mesmos, sem desejar atribuir-lhes as caricaturas que queremos. Muitos cristãos ficariam impressionados ao aprender sobre os níveis sublimes de espiritualidade que podem ser alcançados em outras religiões, como nos melhores exemplos do Sufismo e seu misticismo, ou no profundo conhecimento da meditação e do silêncio encontrados no Budismo. Desprezar essas e outras inspirações religiosas como delírios, o que claramente não é o caso, equivale a fazer Deus desprezar a honra. Tal comportamento faz com que pareçamos ridículos, e a nossa fé e o Deus que proclamamos são levados à infâmia. Pude conhecer grandes expoentes e seguidores de outros credos que me impressionaram e me fizeram querer tirar os sapatos em seu solo sagrado. Não tenho dúvidas de que o Dalai Lama é uma dessas pessoas, e nada se pode fazer a não ser ficar impressionado com sua intensa serenidade e com a profunda reverência que os budistas têm pela vida, o que os torna vegetarianos, privando-os de qualquer abate e levando-os a cumprimentar o próximo com sincera reverência, dizendo: "O Deus dentro de mim saúda o Deus dentro de você", uma saudação cujos próprios cristãos poderiam adotar verdadeiramente, já que acreditamos que todo cristão é um tabernáculo do Espírito Santo, um portador de Deus.

Reconhecer que outros credos devem ser respeitados e que obviamente proclamam verdades religiosas profundas, entretanto, não equivale a dizer que todos os credos são iguais. Está claro que *não* são iguais. Nós, que somos cristãos, devemos proclamar as verdades de nossa fé com honestidade, verdade, sem algo que a comprometa, e devemos afirmar de modo cortês, porém inequívoco, que acreditamos que toda verdade religiosa e que toda aspiração religiosa encontra sua realização final em Jesus Cristo. Não obstante, devemos conceder ao próximo os mesmos direitos de exercer a fé, esperando que a atração intrínseca e que a verdade absoluta do Cristianismo sejam os fatores que o recomendariam aos outros. Oxalá vejam o impacto que o Cristianismo exerce sobre o caráter e sobre a vida de seus adeptos, de modo que os não cristãos queiram, por sua vez, se tornar cristãos, assim como os pagãos dos tempos primevos foram atraídos para a igreja não tanto pelas pregações quanto pelo que enxergavam na vida dos cristãos, o que os fazia exclamar, espantados: "Como esses cristãos amam uns aos outros!"

Não tenho conhecimento de algum grande credo que afirme que os seres humanos foram feitos com um propósito diferente do destino maior de estar em comunhão ininterrupta com o divino, seja lá como possa ser definido esse divino, quer o *summum bonum*, o bem maior, ser absorvido pelo divino ou existir em separado por toda a eternidade em nirvana, ou paraíso, ou céu. Não tenho conhecimento de algum credo que declare que é aceitável para um ser humano ser vítima da injustiça e da opressão. Ao contrário, podemos andar de braços dados com os adeptos de outros credos pela causa da justiça e da liberdade, ainda que alguns companheiros cristãos tenham maculado e feito oposição a esse testemunho.

Espero ter feito o suficiente para convencer os exclusivistas inveterados de que a causa cristã fica mais bem servida pelo reconhecimento fortuito de que Deus não é uma prerrogativa especial dos cristãos, mas, sim, o Deus de todos os seres humanos, a quem ele permitiu a revelação de sua natureza e com quem é possível para todos ter um encontro e um relacionamento verdadeiros.

4

Tutu falou aos alunos da Universidade de Khartoum, em uma visita ao Sudão, em 1989, que ele não apenas recomenda que as pessoas de fé pratiquem a tolerância e o respeito, mas prova para elas que essa fé exige que trabalhem pela causa da justiça.[2]

As pessoas religiosas não têm escolha nessa questão. Onde houver injustiça e opressão, onde quer que o povo seja tratado como se fosse menos do que é — pessoas criadas à imagem de Deus —, não há escolha que não leve à oposição — e à oposição veemente — com toda força que exista em seu ser à essa injustiça e opressão. E isso é inevitável quando alguém se opõe à obscenidade do *apartheid*, que, diz o racismo, é uma política de um governo específico. Não é simples como sentar-se e dizer: "Será que quero ou não?" Se você é um fiel, deve se opor à injustiça, quer seja muçulmano, cristão, hindu ou budista, porque, veja bem, esse é um dos fatores em comum entre os credos: nenhum deles tem uma doutrina reducionista dos seres humanos.

O Cristianismo diz que os seres humanos foram criados à imagem de Deus; o mesmo acontece no Judaísmo. O Islamismo diz que você é o *abd*, o escravo, de Deus, cujo propósito é colocar a sua vontade à sujeição da vontade de Alá. Portanto, ele diz que você é alguém que pode estar em um relacionamento com Deus. Assim, cada uma dessas religiões, em sua natureza intrínseca, compele seus seguidores a serem pessoas que anseiam pela justiça, pela paz e pela bondade. Se você não anseia, em face da injustiça, se manifestar e fazer oposição a ela, então todas as noites você deve confessar e dizer: "Deus, eu pequei, porque desobedeci a uma lei fundamental do nosso relacionamento."

Fazemos a religião desprezar a justiça, damos uma má reputação à religião quando não lutamos pela verdade, quando não lutamos pela justiça, quando não servimos como a voz dos calados à força, quando não defendemos os que não podem se defender. Tal convergência é incrível. Se você olhar como os credos falam a respeito do destino da humanidade, nós, cristãos, costumamos dizer que o *summum bonum* absoluto acontece quando desfrutamos a visão divina, a visão beatificada para todo o sempre, ainda que permaneçamos distintos, porém em um relacionamento, com a divina Trindade. O Islã também fala sobre o tempo em que poderemos desfrutar a bênção absoluta da presença do divino. O Hinduísmo e o Budismo, reconhecendo que somos parte do divino, não falam sobre o *Tat tvam asi*, "Tu és", acreditando que se você pode reconhecer o que realmente é — que é um aspecto do divino e que acabará retornando ao mesmo lugar de onde veio —, acabará sendo reabsorvido pelo divino? Tudo isso diz muita coisa sobre o que são os seres humanos.

Capítulo 2

Ubuntu

Sobre a natureza da comunidade humana

A estatura de Desmond Tutu como um modelo de tolerância e inclusão dentre os líderes religiosos internacionais tem origem não apenas em sua fé, mas em seu entendimento sobre a natureza da comunidade humana, para a qual ele traz uma sensibilidade singularmente africana. Os trechos a seguir são uma compilação de excertos de apresentações feitas por mais de três décadas em ambientes que variaram de colunas de jornais da África do Sul a discursos no exterior.

Em nosso *weltanschauung* africano, nossa visão de mundo, temos algo chamado *ubuntu*. Em *xhosa*, dizemos: "Umntu ngumtu ngabantu." É muito difícil passar essa expressão para outras línguas, mas poderíamos traduzi-la dizendo: "Uma pessoa é uma pessoa por intermédio de outras pessoas."[1] Precisamos de outros seres humanos para aprendermos a ser humanos, pois ninguém vem ao mundo totalmente formado. Não saberíamos como falar, andar, pensar ou comer como seres humanos a não ser que aprendêssemos como fazer essas coisas com outros seres humanos. Para nós, o ser humano solitário é quase uma contradição.

Ubuntu é a essência do ser humano. Ele fala de como a minha humanidade é alcançada e associada à de vocês de modo insolúvel. Essa palavra diz, não como disse Descartes, "Penso, logo existo", mas "Existo porque pertenço". Preciso de outros seres humanos para ser humano. O ser humano completamente autossuficiente é sub-humano. Posso ser eu só porque você é completamente você. Eu existo porque nós somos, pois somos feitos para a condição de estarmos juntos, para a família. Somos feitos para a complementaridade. Somos criados para uma rede delicada de relacionamentos, de interdependência com os nossos companheiros seres humanos, com o restante da criação.

Eu tenho dons que você não tem, e você tem dons que eu não tenho. Somos diferentes para entender as necessidades uns dos outros. Ser humano é ser dependente. *Ubuntu* fala de atributos espirituais como generosidade, hospitalidade, compaixão, dedicação, partilha. Você pode ser rico em posses materiais, mas ainda assim não ter *ubuntu*. Esse conceito fala de como as pessoas são mais importantes que os objetos, os lucros, as posses materiais. Ele fala sobre o valor intrínseco das pessoas como não dependentes de coisas alheias, como condição social, raça, credo, gênero ou grandes feitos.

Na sociedade africana tradicional, *ubuntu* foi mais almejado do que qualquer outra coisa — mais que riqueza medida em cabeças de gado e extensões de terra. Sem essa qualidade, um homem próspero, embora possa ter sido um chefe, era considerado alguém merecedor de piedade e até desdém. Esse conceito foi visto como o que, em última análise, distingue as pessoas dos animais — a qualidade de ser humano e, assim, também humanitário. Os que tinham *ubuntu* eram compassivos e gentis, usavam sua força em benefício dos fracos, e não tiravam vantagem dos outros — em resumo, eles *cuidavam*, tratavam os outros como aquilo que eram: seres humanos. Se você carecesse de *ubuntu*, em certo sentido, carecia de um ingrediente indispensável do ser humano. Você podia ter tido muitos dos bens do mundo, podia ter tido posição e autoridade, mas se não tivesse *ubuntu* não importaria muito. Hoje, *ubuntu* ainda é muito admirado, buscado e cultivado. Só alguém para quem algo drástico aconteceu poderia dizer, como disse uma vez um ministro do governo sul-africano, que a morte de Steve Biko[2] — a morte de um companheiro humano — lhe era indiferente. Aquele ministro perdera a sua humanidade ou estava a ponto de perdê-la.

Os ocidentais têm alcançado avanços espetaculares em grande medida por causa da própria iniciativa pessoal e individual. Têm produzido avanços tecnológicos extraordinários, por exemplo. Esse progresso, porém, tem chegado com um custo gigantesco. A ênfase do Ocidente no individualismo tem mostrado, com frequência, que as pessoas estão sozinhas em uma multidão, despedaçadas pelo próprio anonimato. É isso que torna possível que uma pessoa atravesse a rua enquanto outra está sendo, digamos, violentada por uma gangue: o que está de passagem simplesmente não quer se envolver demais. No Ocidente, as pessoas têm sido educadas em uma cultura do sucesso, na qual úlceras de estômago se tornam símbolos de *status*. Existe uma obsessão pelo sucesso, e *aquilo* em que você é bem-sucedido parece não importar tanto quanto *ser* bem-sucedido. Parece que a pior coisa que pode acontecer é fracassar. E essa cultura rejeita facilmente as pessoas como coisas gastas e descartáveis quando, por serem pobres ou estarem desempregadas, são tidas como fracassadas.

Ubuntu nos ensina que nosso valor é intrínseco a quem somos. Temos importância porque somos feitos à imagem de Deus. *Ubuntu* nos lembra de que pertencemos a uma única família — a família de Deus, a família humana. Na visão de mundo africana, o maior dos bens é a harmonia da comunidade. Tudo que subverta ou questione esse bem maior é, *ipso facto*, errado, mau. A raiva e o desejo de vingança subvertem essa coisa boa.

Capítulo 3

Não há futuro sem perdão

Um programa radical de reconciliação

A bandeira que Desmond Tutu levanta ao perdão por parte das vítimas de atrocidades como um caminho para a cura tem repetidamente causado controvérsia, tanto na África do Sul quanto no mundo afora, como ilustram as seleções deste capítulo.

1

A primeira vez que as opiniões de Tutu o deixaram em apuros foi durante uma peregrinação a Jerusalém e Belém no Natal de 1989.[1] *Durante essa peregrinação, ele visitou o museu do Holocausto de Jerusalém, o Yad Vashem, quando concluiu um comentário no livro de visitantes com um apelo para que Deus "perdoe todas as pessoas que oprimem o próximo". Isto foi o que ele falou então para os jornalistas do lado de fora.*

Acho importante que o mundo seja lembrado de que podemos afundar a esses níveis. Também é importante ser lembrado de que todos nós temos necessidade de perdão. Meu sentimento seria dizer, como diria nosso Senhor, que, no fim, algo positivo que poderia resultar dos horrores do Holocausto — e também que vem dos profetas, seus profetas — é o espírito de perdoar, não de esquecer, o espírito de dizer (e os seus mártires costumavam dizer isso também): "Deus, isso aconteceu conosco; oramos por aqueles que fizeram acontecer. Perdoe-os. Ajude-nos a perdoar e ajude-nos para que, na nossa vez, não façamos os outros sofrerem."

Os judeus têm a vocação especial de ser uma luz para as nações. Tenho orgulho dos meus antecedentes judeus, e estou apto a lutar contra o mau e a injustiça do *apartheid* em grande medida com base naquilo que aprendi com o que chamamos de Antigo Testamento, mas que são as escrituras judaicas. Eu oro, e oro com fervor, para que o povo desta terra consiga viver em harmonia, em paz e alegria com seus irmãos palestinos.

2

As notícias dos jornais, que disseram que Tutu conclamara os judeus a perdoar os nazistas, provocaram uma torrente de críticas. Cinco meses depois, jornalistas de Cincinnati, em Ohio, Estados Unidos, retomaram a controvérsia após um encontro de Tutu com representantes do Judaísmo reformista. Quando esses jornalistas lhe perguntaram se ele acreditava que Jesus teria perdoado os nazistas se o próprio Jesus fosse um sobrevivente do Holocausto, Tutu ofereceu a resposta a seguir.

Bem, Jesus nos ofereceu um paradigma; enquanto estava sendo crucificado, Jesus disse: "Pai, perdoa-lhes." Não era como se ele estivesse falando sobre algo que *poderia* acontecer. Ele estava, de fato, experimentando uma das maneiras mais dolorosas de ser morto e, mesmo assim, teve a capacidade de externar uma oração que ensinou aos cristãos sobre esperar ser perdoado somente quando estivermos prontos para perdoar.

Nas escrituras judaicas há um livro extraordinário, o Segundo Isaías,[2] que contém vários do que chamamos de "cânticos dos servos", expressados pelo sofrimento daquele servo do Senhor. Muitas pessoas chegaram a concordar que esses cânticos representam o ápice da compreensão do sofrimento. Ou seja, não se está justificando o sofrimento, não se está dizendo que o sofrimento é bom. O sofrimento tem de ser eliminado tanto quanto possível. Mas, no fundo, ele surge como se a textura do universo fosse tal que o bem parece exigir uma capacidade de sofrimento. Às vezes perguntamos: por que é necessário uma mãe sofrer para que haja a grande alegria do nascimento de uma criança?

Veja, muito se fala de uma experiência de sofrimento. O fato de eu ter a pele negra já me identifica e me seleciona para sofrer com racismo. Se os negros fossem dizer: "Não podemos, não vamos perdoar os brancos para sempre", onde estaríamos nós da África do Sul? Não estamos falando sem sentimento e não estamos falando como alguém que não tenha experimentado sofrimento.

3

Outra ocasião em que as opiniões de Tutu o deixaram em uma enrascada foi em fins de 1990, durante uma assembleia convocada pelas igrejas da África do Sul — incluindo as que tinham apoiado e as que se opuseram ao apartheid *— após a libertação de Nelson Mandela e quando as negociações sobre o fim do* apartheid *e o estabelecimento da democracia estavam começando. O objetivo do encontro era que os líderes religiosos discutissem como poderiam superar sua alienação do* *passado e trabalhar juntos pelo futuro. Este é um fragmento do sermão de Tutu que abriu a conferência.*

Para haver a reconciliação, nós, que somos os embaixadores de Cristo, a quem a verdade da reconciliação foi confiada, certamente devemos ser os instrumentos da paz de Cristo. Nós mesmos devemos nos reconciliar. As vítimas da injustiça e da opressão devem estar sempre prontas para perdoar. Esse é um imperativo do Evangelho. Mas aqueles que erraram devem estar prontos para dizer: "Nós ferimos vocês com essa injustiça, arrancando vocês de seus lares, jogando-os em uma pátria abatida pela pobreza dos campos de reassentamento, dando a seus filhos uma educação inferior, negando a humanidade de vocês, esmagando sua dignidade humana e contestando seus direitos fundamentais. Lamentamos; perdoem-nos." E o injustiçado deve perdoar.

Aqueles que erraram devem estar prontos para fazer as correções que puderem. Devem estar prontos para fazer a restituição e a reparação. Se eu roubei sua caneta, não posso estar de fato arrependido quando digo "Por favor, me perdoe", se ao mesmo tempo ainda ficar com a sua caneta. Se eu estiver verdadeiramente arrependido, vou demonstrar esse arrependimento genuíno ao devolver a sua caneta. Então a reconciliação, que sempre é custosa, vai acontecer. Mesmo quando marido e mulher brigam, até que um deles consiga dizer "Desculpe, me perdoe", não conseguirão de fato reconstruir o antigo relacionamento.

4

Um teólogo da Igreja Reformada Holandesa — composta por brancos — que ofereceu uma justificativa teológica para o apartheid, *respon-*

deu confessando sua responsabilidade e a de sua igreja pela política e pelo sofrimento que tinham causado. Tutu, por sua vez, reagiu com este breve comentário.

Creio que certamente estou sob a pressão do Espírito Santo de Deus para dizer que, quando a confissão de uma injustiça é feita, aqueles contra quem a injustiça foi cometida deveriam dizer "Nós perdoamos vocês", e então, juntos, podemos propor a reconstrução da nossa terra. A confissão não é feita sem um alto custo assim como a resposta que damos igualmente não vem sem alto custo.

5

A delegação da Igreja Reformada Holandesa endossou a confissão, mas os líderes das igrejas negras edificadas pelo trabalho missionário da Igreja Reformada Holandesa contestaram tanto a sinceridade daquela declaração quanto o aceite da confissão por parte de Tutu. Tutu defendeu sua posição.

Ouvi dizer que não tenho procuração para aceitar a confissão em nome de qualquer pessoa que não seja eu mesmo, e creio que está certo as pessoas dizerem isso. É o cúmulo da presunção eu ter sugerido que estava falando em nome de todos, embora também precisasse dizer que ministrei durante toda a minha vida para essas mesmas pessoas, e quero agradecer a Deus por isso.

Malusi Mpumlwana[3] esteve aqui lhes contando sobre suas experiências na prisão e com a tortura. Quando fui secretário-geral do Conselho das Igrejas da África do Sul, Malusi Mpumlwana veio a Joanesburgo em certa ocasião. Ele dissera aqui que teve dificuldade em perdoar, mas quero lhes falar que naquela ocasião ele disse: "Sabe, padre, quando torturam você, você olha para eles e pensa 'esses são filhos de Deus'", continuou, "e você sabe que eles precisam de você", referindo-se a si mesmo, "para ajudá-los a recuperar a humanidade que estão perdendo". Ele falou daquela dor, e eu o ouvi, como um jovem ministrando para mim sobre o significado do perdão.

Eu fazia parte de uma delegação do Conselho das Igrejas da África do Sul quando fui para Mogopa, um vilarejo que estava sendo demolido e cujo povo acabaria sendo arrancado de suas casas. Os líderes religiosos foram até lá para orar com as pessoas antes da remoção. Enquanto oravam na chuva, por volta da meia-noite, um dos anciãos do vilarejo, cuja casa estava prestes a ser demolida (vilarejo cujas escolas já tinham sido demolidas junto com as igrejas e as clínicas), levantou-se e fez uma oração da qual nunca mais vou me esquecer. Aquel homem disse: "Obrigado, Deus, por nos amar." Nunca entendi essa oração.

E então encontrei homens como Walter Sisulu[4] e outros mais que estiveram presos por 25, 27 anos por terem tido a audácia de dizer que eram humanos. Eles superaram essa experiência e têm uma incrível capacidade de amar. Não carregam amargura, não desejam vingança e assumiram um forte comprometimento para renovar a África do Sul. Eu me curvo diante de tais pessoas; e assim, caros amigos, sinto que estou condenado pelo Espírito Santo de Deus e pela verdade do nosso Senhor e Salvador Jesus Cristo a oferecer perdão.

A graça não tem garantias. Quando olhou para Zaqueu, o coletor de impostos (Lucas 19:1-10), Jesus Cristo não teve garantia de que aquele homem responderia à graça do seu perdão e do seu amor. Somos pessoas da graça e precisamos ter a vulnerabilidade do nosso Senhor e Salvador Jesus Cristo na cruz. Jesus Cristo, ao aceitar Zaqueu, libertou-o para que ele pudesse dizer às pessoas: "Farei uma reparação."

Deus nos conduziu até este momento, e eu só quero dizer a vocês que me curvo humildemente, e só falo em meu nome. Quando alguém diz "Perdoe-me", não posso dizer "Não perdoo", porque então não poderia orar como oramos: "Perdoai-nos assim como nós perdoamos."

6

Ao receber um título honorário em Benin, na África Ocidental, em 1991, Tutu defendeu que os valores envolvidos no ubuntu deveriam ser colocados em prática nos sistemas judiciários africanos.

Quero que vejamos um ressurgimento, uma revivificação, um renascimento de muitos dos maravilhosos atributos e valores que a África tem. Vocês sabem que tivemos uma jurisprudência, uma penologia na África que não foi retributiva, de punição e castigo. Tivemos uma jurisprudência que não foi restauradora. Quando o povo entrava em uma disputa no ambiente tradicional, a intenção principal não era punir o canalha, mas restaurar as boas relações.

Pois a África é preocupada, ou era preocupada, com as relações, com a totalidade do relacionamento. Isso é algo que podemos trazer para o mundo, um mundo que é polarizado, um mundo que é fragmentado, um mundo que destrói as pessoas.

7

Um ano depois que um número estimado de 937 mil ruandeses foram mortos por seus conterrâneos no genocídio de 1994, Tutu visitou o país na África Central como integrante de uma delegação religiosa. Em uma série de sermões e discursos, ele conclamou os ruandeses a interromper o que descreveu como um círculo vicioso de mortes, apesar de as elites dos dois maiores grupos populacionais, os hutus e os tutsis, insistirem em uma luta pelo poder que perdurou por gerações. Na última manhã da visita, Tutu compareceu a uma igreja em Ntarama, ao sul da capital, Kigali, para onde o governo regularmente escoltava os visitantes que queria impressionar com o horror do genocídio. Sem qualquer aviso, Tutu e o grupo de evangelistas com o qual ele viajava foram levados à igreja parcamente iluminada, onde se viram caminhando por entre os cadáveres das vítimas do massacre. Do lado de fora, Tutu irrompeu em choro. A pouca distância da igreja, o grupo então visitou as mulheres que fundaram uma "vila da paz" em homenagem a Mandela, presidente da África do Sul. De volta a Kigali, Tutu foi convocado de última hora a discursar para a nação em um encontro de parlamentares, funcionários do governo e diplomatas.

Hoje visitamos Ntarama. Fiquei chocado. Ontem, disse que vocês tinham passado pelo inferno, que vocês haviam caminhado pelo vale das sombras da morte. Às vezes é difícil acreditar que nós, seres humanos, somos capazes de certas coisas que fazemos.

Qualquer pessoa direita condenaria, sem sombra de dúvida, todo aquele massacre, aquelas mortes, aquele genocídio indistinto. Já dissemos que viemos expressar a solidariedade pela agonia que vocês experimentaram. De fato, ficamos chocados. Não temos o menor direito de falar qualquer coisa. Viemos com a intenção de reafirmar o amor, o cuidado e a preocupação de Deus. Nosso Deus é um Deus que não tira férias, nem por um só dia; nosso Deus está sempre presente. Não viemos como detentores da verdade absoluta que tentam prescrever soluções prontas e infalíveis.

Ficamos surpresos e damos graças a Deus pelo fato de pessoas que poderiam ter se sentido provocadas a engajar-se em uma orgia de represália e de vingança terem se segurado, o que é notável. Damos graças a Deus por todos vocês, irmãos e irmãs que foram tão traumatizados, que sofreram tudo que vocês sofreram, mas que, de algum modo, conseguiram ter a capacidade de controlar a raiva, a amargura e o desejo natural de vingança. Damos graças a Deus por vocês.

Queremos dizer que concordamos que deve haver justiça, que aqueles que forem considerados culpados por terem perpetrado tais atrocidades ou instigado terceiros devem, sim, ser levados à justiça e que a impunidade deve ter um fim. Mas também queremos dizer, como todos vocês bem desejam acreditar, que a justiça não pode ser a última palavra a ser dita. Enquanto estava naquele lugar, hoje pela manhã, pensei: "Aqui estou, um avô com quatro netos — tenho uma esposa, quatro filhos, quatro parentes por afinidade; tenho irmãos, parentes de sangue. Se por algum acidente da história eu tivesse nascido neste país, talvez eu também estivesse dizendo que minha esposa, meus netos, meus genros e minhas noras, minha sogra estavam mortos.

Venho aqui como um africano. Venho como alguém que, querendo ou não, compartilha a vergonha, a desgraça, os fracassos da África, porque sou africano. O que acontece aqui, o que acontece na Nigéria, o que acontece em qualquer lugar, apesar de eu morar na África do Sul, se torna parte da minha história, parte da minha experiência — assim como dos sucessos que acontecem na África eu também compartilho, com minha solidariedade e minha participação na africanidade. Por isso, como africano, como ser humano, sobretudo como cristão, venho falar para vocês: somos africanos, somos seres humanos, somos irmãos de Cristianismo. Vamos quebrar o círculo da violência, o círculo da represália, que apenas provoca mais represália, que, por sua vez, estimula mais e mais represálias, um círculo em que, uma hora, alguém está dominando, que faz com que o dominado queira se tornar dominante, depois o dominado se torna dominante, e o dominante que foi dominado deseja voltar a ser dominante.

O povo já esperou muitos e muitos anos pelo reestabelecimento do equilíbrio e, por isso, oramos, irmãos e irmãs, para que o círculo vicioso seja quebrado; vamos dar fim a essa espiral. Ontem fizemos uma visita à penitenciária central[5] e posso dizer que as condições ali apontam para um desastre iminente. Esperamos que a comunidade internacional ajude a aliviar a situação, mas tememos que o ressentimento se eleve em algum grupo, criando a expectativa de tomar o que era seu.

Venho aqui fazer um apelo. Por favor, Deus, dê-me a eloquência, as palavras certas para tocar o coração de nossos irmãos e irmãs em Ruanda, e também fora de Ruanda: que nossos irmãos e irmãs consigam perceber que não é possível haver um futuro sem perdão. Jamais haverá um futuro sem que haja paz. Jamais haverá paz sem que haja reconciliação. Mas não haverá reconciliação antes de existir o perdão. E jamais existirá perdão sem que as pessoas se arrependam. Deus, oramos:

> Toque o coração de seus filhos em Ruanda e dos filhos desta terra que estão em outro lugar; toque o coração e faça-os saber que eles têm apenas uma pátria. Faça-os entender que eles têm um único futuro — um futuro compartilhado.
>
> Deus, agradecemos por poder ver a ressurreição; estivemos em Ntarama na Sexta-Feira Santa e, ao nos afastarmos um pouco, vimos mulheres construindo a vila da paz batizada de Nelson Mandela. Damos graças por saber que do túmulo surge a nova vida. Esta é uma bela terra, Deus;

este é um povo belo, Deus. Toque o coração dessas pessoas, por favor, Deus; toque o coração deles para que saibam que devem se unir como um só. Toque nosso coração, toque o coração de toda a comunidade internacional, para que possamos ser generosos na ajuda para nossos irmãos e irmãs curarem esta terra. Deus, sabemos que o Senhor ama Ruanda. Fecha estas feridas. Una este povo. Faça de todos nós uma só nação, um só povo.

Capítulo 4

E quanto à justiça?

Argumentos em favor da justiça restauradora

A disposição de Tutu em perdoar os perpetradores do apartheid *enfrentou sua maior provação quando o presidente Nelson Mandela, que debutava depois que seu partido, o Congresso Nacional Africano (ANC) saiu vencedor das primeiras eleições democráticas de seu país, escolheu Tutu para o presidir a Comissão da Verdade e Reconciliação (CVR).*

1

Em uma conversa com o ativista pelos direitos humanos Kerry Kennedy, logo depois de ter entregue o relatório principal resultante do trabalho da comissão para o presidente Mandela em 1998, Tutu explicou que perdoar não significa esquecer.

Não devemos ter medo do confronto, de interpelar as pessoas pelo erro que cometeram. Perdoar não equivale a se transformar em um capacho no qual o outro pode limpar as botas.

Nosso Senhor era bastante clemente. Mas ele encarava aqueles a quem considerava farisaicos, que se comportavam de modo horripilante e os chamava de "raça de víboras" (Mateus 23:33, NVI).

Perdoar não significa fingir que as coisas não são como realmente são. Perdoar significa reconhecer que alguma maldade aconteceu. Perdão não significa tentar esconder as feridas. Perdoar significa que tanto a vítima quanto o culpado reconhecem que algo aconteceu. Existe, necessariamente, uma medida de confrontação. É comum as pessoas tentarem não encarar as outras. Porém, às vezes você precisa fazer com que a outra parte reconheça que fez algo de errado.

2

A lei que instaurou a comissão, aprovada pelo Parlamento depois de intensas negociações entre os novos e os antigos detentores do poder, estabeleceu a criação de três comitês: um para conduzir investigações e audiências sobre o que a lei decidiu chamar de "graves violações aos direitos humanos" durante a época do apartheid*; outro para ouvir pedidos de anistia por parte dos culpados pelos crimes e para conceder anistia àqueles que haviam agido por motivação política e que contassem a verdade sobre o que haviam feito; e o terceiro para elaborar políticas de reparação e promover a reabilitação das vítimas e respectivas famílias. Depois de a comissão entregar os relatórios finais ao governo, Tutu passou a falar sobre suas reflexões durante o trabalho da comissão em apresentações em Londres e Copenhague.*[1]

Quase todo mundo — e muitos de nós, por consequência — acreditava que nós, da África do Sul, acabaríamos arrasados pelo maior desastre anunciado da história durante a época do *apartheid* e a subsequente transição para uma democracia depois da libertação de Mandela. Não tinha sombra de dúvidas de que haveria vítimas e mais vítimas em um horrível banho de sangue de uma guerra racial. O estado das coisas chegara a tal ponto no começo da década de 1990 que quando as estatísticas diárias sobre o preço que a violência estava cobrando anunciavam que cinco, seis ou dez pessoas haviam sido mortas, todos respiravam aliviados e diziam que haviam sido *apenas* cinco, seis ou dez vítimas. Essa previsão era cristalina como água, como se costuma dizer. Então, o mundo se surpreendeu em 27 de abril de 1994 ao ver as enormes filas de sul-africanos se dirigindo às cabines de votação.

Cínicos e céticos disseram: "Sim, eles realizaram uma transição impressionante — de verdade, quase milagrosa — da repressão para a liberdade e para a democracia, e o fizeram com muita paz; mas espere até o governo negro se ajeitar. Iremos testemunhar, sem sombra de dúvidas, a mais horripilante orgia de vingança e de retaliação, pois os negros sofreram demais nas mãos dos brancos e decerto irão querer reclamar o que é seu."

Bem, foi por misericórdia que esses profetas do apocalipse se provaram errados quando o mundo inteiro assistiu embasbacado ao desenrolar do trabalho da Comissão da Verdade e Reconciliação. Em vez de as vítimas de todo o sofrimento desnecessário clamarem pelo sangue de seus torturadores, elas deixaram o mundo estarrecido pelo exemplo de magnanimidade, pela nobreza de espírito na disposição de perdoar a quem havia infligido tanto sofrimento.

A Comissão da Verdade e Reconciliação

Durante o período que antecedeu as eleições, os negociadores tiveram de decidir como lidar com o horrendo legado do passado recente. Algumas pessoas, em especial as que tinham feito parte do regime do *apartheid*, defendiam que uma anistia geral deveria ser promulgada a todos, de modo — assim imaginavam — que seria simplesmente esquecido, que o passado não tornasse reféns o presente e o futuro. Infelizmente, não existe mágica capaz de nos fazer dizer "Agora, vamos esquecer o passado", e então o passado é esquecido e morre em silêncio. O passado tem uma capacidade inata de tirar todo tipo de esqueletos do armário para atormentar o presente. Pergunte para o general Pinochet.[2]

Santayana declarava frequentemente: "Quem esquece o passado está fadado a repeti-lo." Além disso, a anistia geral faz a vítima ser vítima uma segunda vez ao oficializar ou o que aconteceu — na verdade, não aconteceu — ou, ainda pior, que teve pequena importância, de modo que as vítimas não veem um encerramento da questão e acabam nutrindo ressentimentos que podem ter consequências nefastas para a paz e para a estabilidade por causa da agonia que envenena o espírito e que faz ansiar pelo dia da vingança.

Já outras pessoas pensavam que o caminho mais fácil seria seguir o exemplo do tribunal de Nuremberg e levar a julgamento todos aqueles publicamente culpados ou que fossem suspeitos de cometer graves violações aos direitos humanos. Nuremberg aconteceu porque os aliados derrotaram os nazistas e optaram por impor o que chamaram de justiça dos vencedores. Em nosso caso, nem o governo promotor do *apartheid* nem os movimentos de libertação da ANC e do PAC[3] tinham a possibilidade de derrotar o lado adversário. Havia um empate em termos militares. É quase certo que as forças de segurança do regime do *apartheid* conseguiriam debelar qualquer plano de ataque pelo qual, no fim das contas, acabariam sendo apontadas como responsáveis. Além disso, a África do Sul não suportaria mais longos julgamentos, nem o já sobrecarregado sistema judicial conseguiria suportar o esforço.

Assim, os negociadores optaram por assumir um compromisso mútuo: anistia individual, em vez da anistia geral, em troca de toda a verdade a respeito do crime pelo qual se estava fazendo o pedido. "Anistia em troca da verdade?", muitos se perguntaram, com uma preocupação genuína. "E quanto à justiça? Isso não equivale a incentivar a impunidade?" Antes de tudo é necessário ressaltar que esse jeito de lidar com a situação foi proposto exclusivamente para esse delicado período de transição, *ad hoc* — de uma vez para sempre. Em vez de incentivar a impunidade, a opção escolhida para seguir adiante ressaltava a responsabilidade, já que quem procurasse a anistia deveria admitir ter cometido um crime. Inocentes e aqueles que alegavam inocência, obviamente, não necessitavam de anistia.

Certas pessoas retorquiram dizendo que isso significa deixar os culpados escaparem ilesos. Será que é mesmo?

Todos sabem como é difícil dizer "sinto muito". São duas das palavras mais difíceis de qualquer língua. Não considero fáceis de dizer nem mesmo na privacidade do meu quarto e para minha esposa. Posso imaginar, portanto, o que deve ter significado para os culpados terem de confessar publicamente, sob as lentes das câmeras de televisão. Era comum ver os culpados serem apontados como um respeitável membro de sua comunidade. Provavelmente aquela seria a primeira vez que a família sequer ouviria que aquele aparente bastião de virtude era, na verdade, membro de uma equipe policial responsável por torturar presos todos os dias, ou que pertencia a um esquadrão da morte que tratava o assassinato como um acidente de percurso do depravado sistema do *apartheid*. O estigma da vergonha e da humilhação pública é um preço alto a se pagar, em alguns casos levando esposas ao choque e ao consequente pedido de divórcio.

Mas usar tal argumento significaria pensar apenas em termos de justiça retribuidora, cuja *raison d'être* é punir o perpetrador. Há outro tipo de justiça: a justiça restauradora, cujo propósito não é punitivo, mas restaurador, curador. Ela estabelece como ponto central a humanidade do culpado das mais baixas atrocidades, sem desistir de ninguém, acreditando na bondade essencial de todos que foram criados à imagem de Deus, defendendo que mesmo o pior de nós é filho de Deus e que tem o potencial de ser uma pessoa melhor, alguém que pode ser salvo, reabilitado, que não precisa ser alienado, mas sim, reintegrado à comunidade. A justiça restauradora acredita que um crime causa uma brecha, perturba o equilíbrio social, o qual, por sua vez, deve ser recuperado, assim como a brecha precisa ser fechada, em um processo em que o ofensor e a vítima possam se reconciliar e retornar à paz.

Feitos monstruosos, quase diabólicos

Houve muitas revelações assombrosas a respeito das terríveis atrocidades que aqueles que pediam por anistia haviam cometido:

> Drogamos o café que demos a ele e depois atiramos em sua cabeça. Depois queimamos o corpo, e enquanto isso acontecia — demora de seis a sete horas para um corpo humano queimar por inteiro — ficamos fazendo um churrasco e tomando cerveja.

É de se imaginar o que haveria acontecido com a humanidade de certas pessoas, a ponto de conseguirem fazer algo assim. Todos ficaram de queixo caído, e com razão. Dizia-se que as pessoas culpadas de agir com tal conduta eram monstros e demônios. Nós precisamos ressaltar que sim, com efeito, essas pessoas eram culpadas de atrocidades monstruosas, quase diabólicas, feitas por vontade própria, mas — e esse é um *mas* muito importante — isso não era suficiente para transformar tais pessoas em monstros ou demônios. Caso isso acontecesse, então não seria possível responsabilizar moralmente os culpados por seus atos. Monstros não têm responsabilidade moral. Porém, uma implicação ainda mais importante é a de que isso significaria fechar as portas para qualquer possibilidade de melhora, e se isso acontecesse, seria melhor encerrar todo e qualquer trabalho, uma vez que a Comissão da Verdade e Reconciliação se baseava na premissa de que todos têm a capacidade de mudar, de que inimigos podem se tornar amigos.

O *ubuntu* (e, portanto, a justiça restauradora) não abre mão de ninguém. Não existe um só caso de total inutilidade e que não possa ser redimido. Todos nós, mesmo os piores de nós, somos filhos de Deus. Todos nós temos a capacidade de nos tornamos santos. Para nós, cristãos, o paradigma foi estabelecido com nosso Senhor e com o ladrão penitente na cruz. O ladrão havia levado uma vida de crimes até o momento de sua crucificação. Talvez algumas pessoas se espantem pelo arrependimento e pela conversão do ladrão em seu leito de morte, mas isso não ocorre com Deus, a figura que procuramos imitar. "Sejam perfeitos, como perfeito é o Pai celestial de vocês" (Mateus 5:48), exorta Jesus. Não podemos afirmar categoricamente que esta ou aquela pessoa já tem um bilhete de ida para o inferno. Ficaremos muito surpresos com quem encontraremos no céu e que jamais esperávamos encontrar ali, o mesmo acontecendo quando não encontrarmos algumas pessoas que esperávamos encontrar.

Potencial da verdade como cura

Eu mesmo não esperava ver algumas das coisas maravilhosas que de fato aconteceram na Comissão da Verdade e Reconciliação. Lembro-me de uma mãe que veio buscar por seu filho, que havia desaparecido sem deixar rastro. Jamais me esquecerei de sua voz, marcada pela angústia e pela profunda preocupação: "Por favor, será que vocês não conseguem encontrar ao menos um osso do meu filho para que eu possa fazer ao menos um enterro decente?" Infelizmente, não conseguimos ajudá-la.

Porém, houve casos de pessoas abduzidas pelas forças de segurança do *apartheid* e que foram mortas e enterradas em segredo. A partir dos pedidos de anistia, conseguimos obter informações que nos levaram a cemitérios secretos, onde pudemos fazer a exumação dos restos mortais dos que haviam sido capturados. Em um desses cemitérios havia uma cova aberta e a família da suposta vítima olhava para dentro da cova, fitando os restos mortais, quando um jovem do grupo exclamou: "Este é meu irmão. Eu comprei aqueles sapatos para ele." A identificação havia sido feita. A família agora sabia o que havia acontecido e podia ter a experiência de encerramento de uma angústia, já que poderiam dar um enterro apropriado ao parente amado. Até aquele momento, eu não fazia ideia de que a verdade poderia oferecer uma cura potente como aquela.

Em outra ocasião, um rapaz decidiu dar seu testemunho para a comissão. Ele ficara cego quando a polícia abriu fogo em uma cidade de negros. Depois de relatar sua história, perguntaram como ele se sentia. O jovem cego sorriu e disse: "Vocês me devolveram meus olhos." Ao que parece, havia um enorme poder terapêutico em contar sua história pessoal a um ouvinte amigável e compreensivo. Ao ter sua história, sua verdade, oficialmente registrada, a comissão e, portanto, toda a nação estavam reconhecendo aquele jovem. Isso fez com que ele se sentisse valorizado e apreciado, sentindo que, de algum modo, seu sofrimento não havia sido em vão, que ele havia feito uma contribuição à "luta" que terminou com a vitória da justiça e da liberdade — e que ele havia sido parte de toda aquela glória.

Um africâner[4] branco havia perdido o filho pequeno em um ataque com bomba realizado pela ANC. Ele procurou a CVR — um dos poucos brancos que apareceram para contar sua história, já que a maioria estava na fila para pedir anistia — e surpreendeu a todos com a falta de amargura e de raiva que demonstrou. Ele disse algo bastante surpreendente e, de muitas maneiras, bastante corajoso, mesmo depois da transição do *apartheid* para a democracia. Ele disse que, se tivesse motivos para se sentir amargo, em nada tais motivos teriam a ver com a ANC — que havia matado seu filho —, mas sim, com o governo do *apartheid* formado por seus companheiros africâneres, acrescentando que ele acreditava que a morte de seu filho havia contribuído para as mudanças positivas que experimentávamos no país. Quando terminou de relatar seu testemunho, disse a ele que em nosso país havia pessoas extraordinárias, e que não era de surpreender que milagres como aquela transição estavam acontecendo.

Outro homem branco, oficial aposentado da Força Aérea Sul-Africana, havia ficado cego por conta de um ataque com um carro-bomba que a ANC planejou contra os quartéis da Força Aérea em uma das principais ruas de Pretória. Vinte e uma pessoas morreram e 219 ficaram feridas. O oficial branco, Neville Clarence, disse que não guardava rancor contra os autores daquela atrocidade. Ele não fez qualquer oposição ao pedido de anistia de Aboobaker Ismail, o responsável por planejar aquele ataque e que havia pedido desculpas pelas casualidades infligidas a civis. Clarence e Ismail se cumprimentaram e Clarence disse que perdoava o antigo adversário, acrescentando que ambos deveriam trabalhar para o bem comum de todos. Depois, disse que sentiu como se não quisessem deixar a companhia um do outro. A imagem dos dois se cumprimentando apareceu em todos os aparelhos de televisão e estampou todas as capas de jornais, uma imagem que falava com mais eloquência do que quaisquer palavras conseguiriam falar sobre o processo de reconciliação.

Conclusão

Eu poderia dar muitos exemplos do mesmo tipo, mas também preciso dizer que houve pessoas que disseram que a verdade criou um desejo de ver os culpados encarando um julgamento, outros que se recusaram a perdoar, geralmente clamando que quem estava pedindo anistia não havia contado a verdade por inteiro.

Tudo isso serve para dizer que o perdão nunca é barato, nunca é fácil, mas que ele é possível e que a reconciliação absoluta e verdadeira só pode acontecer com base na verdade. De fato, não pode haver futuro sem perdão, pois a vingança só estimula a violência, causando uma espiral inexorável de represália, que só provoca uma escalada *ad infinitum* de retaliação.[5]

> *Pois, em verdade, neste mundo, o ódio não pode ser aplacado com ódio; o ódio só se extingue com amor. Esta é a lei eterna.*
>
> Dhammapada[6]

Capítulo 5

Nossa gloriosa diversidade

Por que deveríamos celebrar a diferença

Enquanto a memória do apartheid *desaparecia no mundo, Desmond Tutu respondia a uma torrente de convites para falar nos mais diversos países sobre as implicações práticas do ubuntu. A seguir, está um excerto de um discurso na Comissão de Direitos Humanos da Organização das Nações Unidas em Genebra, em 2001.*

Habitamos um universo que é caracterizado pela diversidade. Não há apenas um planeta ou só uma estrela; existem galáxias dos mais variados tipos, uma pletora de espécies animais, diferentes espécies de plantas e diferentes raças e grupos étnicos. Deus nos mostra até com o corpo humano, que é composto de diferentes órgãos realizando diferentes funções, que é exatamente essa diversidade que o torna um organismo. Se fosse um único órgão não seria um corpo humano. O tempo todo tomamos consciência da gloriosa diversidade que está escrita na estrutura do universo em que habitamos, e somos ajudados a ver que se fosse de outra maneira as coisas entrariam em colapso. Como poderíamos ter um time de futebol se todos fossem goleiros? Como seria uma orquestra só de trompas francesas?

Para os cristãos, que acreditam que foram criados à imagem de Deus, é a divindade, a diversidade em união e a trindade de Deus que nós e toda a criação espelhamos. É essa *imago Dei* que investe cada um de nós em particular — seja qual for a raça, o gênero, a educação e a condição social ou econômica — de valor infinito, tornando-se inestimáveis aos olhos de Deus. Esse valor é intrínseco a quem somos, não depende de nada externo, extrínseco. E, consequentemente, não pode haver raça superior ou inferior. Todos nós temos valor igual, nascemos iguais em dignidade e nascemos livres, e, por essa razão, somos merecedores de respeito sejam quais forem as nossas circunstâncias exteriores. Fomos criados livremente para a liberdade como são os animais que tomam decisões e assim, por direito, merecedores de respeito, a quem é dado espaço pessoal para ser autônomo. Pertencemos a um mundo cuja própria estrutura, essência, é a diversidade, quase desconcertante em extensão. Ignorar esse fato básico é viver no paraíso de um tolo.

Vivemos em um universo marcado pela diversidade como a lei de seu ser e nosso ser. Somos feitos para existir em uma vida que deveria ser marcada por cooperação, interdependência, partilha, cuidado, compaixão e complementaridade. Deveríamos celebrar a nossa diversidade; deveríamos expressar nossas diferenças praticando não a separação, a alienação ou a hostilidade, mas seus exatos e gloriosos opostos. A lei que rege nosso ser é viver em solidariedade, amizade, prestabilidade, altruísmo, interdependência e complementaridade, como irmãos e irmãs de uma única família, a família humana, a família de Deus. Tudo o mais, como temos experimentado, é desastre.

Racismo, xenofobia e discriminação injusta têm gerado escravidão quando seres humanos são trazidos, vendidos, mantidos como posse e marcados a ferro por outros seres humanos, seus companheiros, como se fossem nada além de burros de carga. Criaram a Ku Klux Klan e os linchamentos no sul segregado dos Estados Unidos. Deram origem ao Holocausto na Alemanha e a outros na Armênia e em Ruanda; à limpeza étnica nos Bálcãs e ao terror do *apartheid*; e ao que estamos vendo no Sri Lanka, na Irlanda do Norte, no Oriente Médio, no Sudão, onde tem havido uma espiral de represálias levando a contrarrepresálias, as quais, por sua vez, a outras represálias. Martin Luther King Jr. disse: "Onde a lei do olho por olho é praticada, no fim todos estarão cegos. Se não aprendermos a viver como irmãos, morreremos todos juntos como tolos."

A religião, que deveria estimular a irmandade e a fraternidade; e encorajar a tolerância, o respeito, a compaixão, a paz, a reconciliação, o cuidado e a partilha, tem com muita frequência (perversamente) praticado o oposto. A religião tem alimentado a alienação e o conflito e exacerbado a intolerância, a injustiça e a opressão. Algumas das atrocidades mais medonhas aconteceram e estão acontecendo em nome da religião. Não precisa ser assim se pudermos aprender o óbvio: que nenhuma religião pode esperar ter monopólio sobre Deus, sobre a bondade, a virtude e a verdade.

Nossa sobrevivência como espécie não vai depender do poder desenfreado que carece de orientação moral, nem da eliminação dos que são diferentes, nem da associação daqueles que pensam, falam, se comportam e se parecem conosco. Esse caminho leva à estagnação e, por fim, à morte e desagregação. É esse o caminho das pessoas, sobretudo em tempos de transição, instabilidade e insegurança, quando surgem as desordens e as revoltas sociais, a pobreza e o desemprego. Então as pessoas buscam refúgio em fundamentalismos como esses. Procuram bodes expiatórios, que são oferecidos pelos diferentes em aparência, em comportamento, em raça e em pensamento. O povo se torna descontente com a ambivalência. As diferenças de opinião não são toleradas e as respostas simplistas entram na moda, embora tais assuntos sejam complexos na realidade.

Precisamos trabalhar muito pela coexistência, pela tolerância e para dizer: "Discordo de você, mas vou defender até a morte o seu direito de expressar sua opinião." E só quando respeitarmos até os nossos adversários e os virmos não como ogros, desumanizados, demonizados, mas como seres humanos, companheiros nossos, merecedores de respeito por sua personalidade e dignidade, é que iremos conduzir um discurso que só poderia prever conflitos. Há lugar para todos; há lugar para cada cultura, raça, língua e ponto de vista.

Capítulo 6

Todos, todos são filhos de Deus

Sobre a inclusão de gays e lésbicas na igreja e na sociedade

Desmond Tutu diverge das políticas oficiais da maioria das igrejas anglicanas do mundo, que sustentam que gays e lésbicas devem ser celibatários; após a aposentadoria do cargo de arcebispo da Cidade do Cabo, ele se tornou uma das figuras mais proeminentes do mundo na defesa de uma mudança de atitude das instituições religiosas em relação à sexualidade humana.

1

Excertos da posição de Tutu são veiculados em um artigo de jornal e em um sermão realizado na catedral de Southwark, em Londres, em 2004.

Certa vez um estudante me perguntou: "Se você pudesse ter atendido a um pedido de reverter uma injustiça, que injustiça seria?" Então disse que eu teria de pedir por duas injustiças. A primeira seria que os líderes mundiais perdoassem as dívidas dos países em desenvolvimento, o que perpetua a situação de cativeiro. A segunda seria que o mundo encerrasse a perseguição às pessoas por causa da orientação sexual, que é tão absolutamente injusta quanto o *apartheid*, um crime contra a humanidade.

Trata-se de um problema de justiça comum. Lutamos contra o *apartheid* na África do Sul e tivemos o apoio de todo o mundo, porque os negros estavam sendo culpados e sofrendo por algo sobre o qual nada poderiam fazer — a cor da pele. O mesmo acontece com a orientação sexual. É algo de nascença. Eu jamais poderia lutar contra a discriminação do *apartheid* sem lutar também contra a discriminação que os homossexuais sofrem, inclusive em nossas igrejas e demais associações de fé.

Muito me orgulha que, na África do Sul, quando tivemos a chance de criar nossa constituição, os direitos humanos de todos tenham sido explicitamente contemplados em nossas leis. Minha esperança é que, um dia, isso aconteça em todo o mundo, e que *todos* tenham direitos iguais. Para mim, essa luta é como uma túnica sem costura. A oposição ao *apartheid* foi uma questão de justiça. A oposição à discriminação contra a mulher é uma questão de justiça. A oposição à discriminação com base na orientação sexual é uma questão de justiça.

Mas também é uma questão de amor. Todo ser humano é inestimável. Somos todos — *todos* nós — parte da família de Deus. Todos devemos ter o direito de amar um ao outro com honra. Não obstante, em todo o mundo, gays, lésbicas, bissexuais e transexuais são perseguidos. Tratamos essas pessoas como párias e as afastamos de qualquer comunidade. Fazemos com que elas duvidem do fato de serem filhas de Deus. Isso é o mais perto que podemos chegar da blasfêmia absoluta. Culpamos o próximo pelo que ele é.

As igrejas costumam dizer que a expressão do amor em um relacionamento heterossexual monogâmico inclui a expressão física — o toque, um abraço, o contato genital; a totalidade do amor humano faz com que as pessoas se tornem cada vez mais semelhantes a Deus e compassivas. Pois se isso acontece para o heterossexual, que razões mundanas seriam usadas para sustentar que o mesmo não acontece para o homossexual?

O Jesus que eu adoro não está propenso a colaborar com quem vilifica e persegue uma minoria que já é oprimida. Eu não conseguiria me opor à injustiça de penalizar as pessoas por algo que nada podem fazer — sua raça — e ficar quieto em relação à punição imputada às mulheres por algo que nada podem fazer — seu gênero. Portanto, também dou meu apoio à defesa da ordenação das mulheres ao sacerdócio e ao episcopado.

Do mesmo modo não posso ficar quieto enquanto as pessoas estão sendo penalizadas por algo que nada podem fazer a respeito — a sexualidade. Discriminar irmãos e irmãs que são gays e lésbicas com base na orientação sexual, para mim, é tão inaceitável e injusto quanto o regime do *apartheid*.

2

Os apelos feitos no púlpito que mais caracterizaram Tutu na luta pela inclusão podem ser exemplificados por trechos de sermões realizados na Catedral de São Paulo, em London, no Canadá, e na Igreja de Todos os Santos, em Pasadena, nos Estados Unidos.

Você e eu devemos dizer que há uma enorme abertura demonstrada pelos braços de nosso Senhor pendurado na cruz, como se ele fosse abraçar todo o cosmo, porque é a intenção de Deus incluir, conduzir todas as coisas à unidade, em nosso Senhor e Salvador Jesus Cristo. Não existe nada que deva ser deixado de fora. A ordem de Deus vale em qualquer lugar e você e eu já fomos culpados muitas vezes por tentar descobrir quem poderia entrar e quem deveria ficar de fora.

Deus não tem inimigos, pois, em última instância, todos, todos — o ateu, o pecador, aqueles que tendemos, com uma suposta respeitabilidade, deixar de fora — são filhos de Deus. A preocupação deve ser no sentido de acolher a todos, de pensar em como colocar todos para dentro, em como dizer: "Somos todos iguais, iguais em valor diante do Pai."

Jesus não disse: "Se eu for reerguido, trarei alguns comigo." Jesus disse: "Mas eu, quando for levantado da terra, atrairei *todos* a mim" (João 12:32, NVI, ênfase da tradutora) — negros, brancos, amarelos, ricos, pobres, inteligentes, não tão inteligentes, belos, não tão belos. É um dos conceitos mais radicais do mundo. Todos, todos, todos se incluem aqui: gays, lésbicas e o tal heterossexual. Todos, todos foram feitos para serem acolhidos, e não abandonados. Todos.

Segunda parte

•

Defensor internacional da justiça

Capítulo 7

A liberdade é mais barata que a repressão

Sobre a democracia na África

A honra concedida a Desmond Tutu com o Prêmio Nobel da Paz em 1984 elevou sua voz a um nível internacional que foi além dos círculos da igreja e da luta contra o apartheid *que ele vivia até então. Uma das primeiras organizações a desfrutar a vantagem de sua nova estatura foi a Conferência das Igrejas de Toda a África (Cita), conselho ecumênico que representava as igrejas protestantes da África e que elegeu Tutu seu presidente em 1987. Tutu conhecia as igrejas e as nações africanas melhor do que a maioria das pessoas: durante seu trabalho pelo Fundo de Educação Teológica no começo da década de 1970, ele visitou seminários, universidades e igrejas em situações tão variadas quanto a da Nigéria, que se recuperava de uma guerra civil; da Uganda sob a ditadura de Idi Amin; de Ruanda e do Burundi, com suas dezenas de milhares de mortos em conflitos étnicos; de Angola e Moçambique, sob o governo português; e do Zimbábue, quando ainda era comandado por brancos com o nome de Rodésia. As experiências seminais de Tutu na África ajudaram a prepará-lo para falar com conhecimento de causa sobre o que enxergou como falhas do novo governo democrático da África do Sul depois da libertação. Suas anotações de viagem, que datam da década de 1970, mostram que foram poucos os aspectos da África do Sul pós-1994 que ele não previu com duas décadas de antecedência em alguma das nações africanas recém-libertadas.*[1] *Como presidente da Cita, Tutu inspirou-se nas suas credenciais da luta contra o* apartheid, *no conhecimento que tinha da África e em sua importância como laureado pelo Nobel da Paz para apoiar as igrejas do continente na campanha pelos direitos humanos no que ficou conhecido como a "segunda onda" de libertação da África, período em que a democracia multipartidária floresceu em todo o continente depois do fim da Guerra Fria.*

1

O primeiro rascunho da abordagem que Tutu assumiria foi feito em um discurso na assembleia geral da Cita, que o elegera presidente. O tema da assembleia foi "Vocês serão minhas testemunhas", inspirado na exortação feita por Jesus junto aos apóstolos em Atos dos Apóstolos 1:8.

Servimos como verdadeiras testemunhas quando ficamos ao lado dos fracos, dos impotentes, dos explorados, quando somos solidários com eles; quando cuidamos da viúva, do órfão, e do estranho; quando somos servos de Deus. Porém, quando ficamos ao lado do pobre, do fraco e do desimportante, seja lá o significado que o mundo atribui ao termo "importante", então os poderosos não gostam, os privilegiados se ressentem, e você acabará sofrendo, correndo risco de morte.

Disse Jesus: "E aquele que não carrega sua cruz e não me segue não pode ser meu discípulo" (Lucas 14:27). Uma igreja que não sofre não pode ser a igreja de Jesus Cristo. Se você protesta como fez o arcebispo Janani Luwun, em Uganda,[2] e como outros fizeram e estão fazendo em outras partes do continente, talvez você acabe morto. Mas as palavras de Jesus são: "Digo-

-lhes verdadeiramente que, se o grão de trigo não cair na terra e não morrer, continuará ele só. Mas se morrer, dará muito fruto" (João 12:24).

Os que não têm voz, os fracos, os oprimidos, os explorados não têm ninguém que se apresente como campeão em seu nome a não ser a igreja. Precisamos ser os patriotas que amam a pátria e a nação com a mesma paixão que os profetas de Israel amavam sua terra, seu país, seu povo. O amor deve servir de inspiração para desejarmos apenas o melhor para nossa terra, para podermos nos envolver em um desenvolvimento verdadeiro de modo que todos possam desfrutar a plenitude que Deus reservou para todos nós, para que possamos começar a apreciar a vida — porque disse Cristo: "Eu vim para que tenham vida, e a tenham plenamente" (João 10:10), em abundância efervescente.

Devemos zelar pelos direitos humanos daqueles que têm seus direitos humanos violados. Precisamos dizer: "Que eles sejam feitos sujeitos, não objetos. Que possam participar da mesma maneira que aqueles que controlam as rédeas do futuro." Precisamos orar: "Por favor, Deus, ajude os países da África a terem sucesso na independência." Porque, meus amigos, onde quer que haja um golpe, onde quer que haja um levante militar neste, naquele ou em outro país, repete-se o atraso do esforço da libertação na África do Sul; os racistas sul-africanos dizem: "Ah-ah, nós avisamos que eles não iam conseguir."

Precisamos amar nossa terra, nosso país, mas isso não pode acontecer com toda a corrupção, a injustiça e a opressão dos poderosos, os ricos. Dói ter de admitir que há menos liberdade de expressão na maior parte da África independente do que havia durante o malfadado período colonial. O evangelho de Jesus Cristo não nos permite ficar calados em face de tal situação. A verdade do evangelho obriga a levantar e a combater tudo que for contrário a ela.

Acredito que a igreja na África deva se comprometer com a causa da libertação. Nosso Deus é o grande Libertador, o Deus do Êxodo, que conduziu uma turba de escravos para fora do cativeiro e os libertou de tudo que os tornava menos do que Deus pretendia, uma libertação que permitiu que se tornassem o povo de Deus. Precisamos nos comprometer com a libertação total dos filhos de Deus, em nível político, social e econômico, de modo que todos possam desfrutar o que Paulo chama de gloriosa liberdade dos filhos de Deus. Essa necessidade é ainda mais evidente no caso dos irmãos e das irmãs da África do Sul, mas continua verdadeira para muitos da África independente, para quem toda mudança parece ter ocorrido apenas na cor da pele do opressor, uma vez que o rico se torna cada vez mais rico e o pobre cada vez mais pobre. Eles estão esperando que nós sejamos testemunhas de Deus e que falemos por eles.

2

Na década passada, Tutu aproveitou as visitas como presidente da Cita para garantir o acesso a chefes de estado por toda a África e para incentivar membros da igreja a lutarem pela democracia. Em fevereiro de 1989, ele esteve em Angola — controlada por um governo que se proclamava marxista-leninista — e no Zaire — governado por Mobutu Sese Seko, ditador notoriamente corrupto alinhado com os interesses das potências ocidentais. Em Luanda, capital angolana, pregou para 20 mil angolanos em um estádio de basquete.

Vivemos em um lindo continente, mas é um continente que sangra. É um continente que já sofreu. É um continente que foi explorado durante o período do colonialismo. É um continente em que muitos foram capturados para serem feitos escravos. É um continente que, mesmo agora, sofre demais. É um continente que está sendo destruído por guerras civis. Há sofrimento em lugares como Etiópia, Sudão e Moçambique. Há sofrimento em Angola por causa da guerra civil e da luta contra a injustiça e a opressão do *apartheid*.

É um continente que sofre por ter de suportar um fardo pesado como o da dívida externa. É um continente que sofre com a subnutrição. É um continente que sofre com a pobreza. É um continente que sofre com a terrível exploração daqueles que são ricos. É um continente em que há pouca justiça, e sabemos que na nossa parte deste mundo há sofrimento porque os filhos de Deus são tratados como se estivessem sujos apenas pela cor da pele.

Por isso às vezes perguntamos: "Onde está você, Deus, em meio a todo o sofrimento da África? Deus, você ama os negros do mesmo jeito que ama os outros? Deus, por que temos de suportar tanto sofrimento causado pela cor da pele? Por que precisamos ser jogados em uma fornalha ardente de sofrimento, dor e exploração?"

Então nos lembramos de que temos um Deus que não dá conselhos, que não escreve cartas para dizer como podemos resolver os problemas; não temos um Deus que permanece a quilômetros de distância de nós. Nosso Deus vem, nosso Deus entra na fornalha do sofrimento, pois nosso Deus é Emanuel. Nosso Deus veio como nosso Senhor e Salvador Jesus Cristo para nos libertar de tudo que nos torna menos do que Deus pretende. Jesus Cristo morreu na cruz para nos libertar, para nos fazer filhos e filhas de Deus. Jesus Cristo veio para que pudéssemos saber que cada um de nós é especial diante de Deus, que cada um de nós é um filho de Deus.

Meus amigos, venho falar aqui para assegurar que Deus está com vocês, que a luta pela verdadeira independência nesta terra alcançará o sucesso, que a luta na África do Sul e na Namíbia também alcançará o sucesso, que seremos todos livres, juntos, e que seremos todos uma só família; pois "se Deus é por nós, quem será contra nós?" (Romanos 8:31, NVI).

3

No Zaire (rebatizado República Democrática do Congo após a deposição de Mobutu, em 1997), estudantes de Teologia responderam às observações de Tutu a respeito da opressão e da Bíblia com o mesmo entusiasmo dos jovens sul-africanos. Tais observações foram feitas tendo como cenário a tensão entre os estudantes e o governo de Mobutu.

Em muitos países de regime totalitário ou opressivo existe a prática de banir certos livros. Muitos livros foram proibidos na África do Sul. Ao governo sul-africano, dizemos: "Vocês estão atrasados, pois o livro que deveriam ter banido há muito tempo é a Bíblia, pois este sim é o mais revolucionário dos livros em uma situação de opressão."

São Paulo diz que cada um de nós é um templo para o Espírito Santo. Tratar alguém como se fosse menos do que isso não só é errado, como também uma blasfêmia, e isso não se aprende em algum manifesto político. Aprendemos isso na Bíblia. Também aprendemos com a Bíblia que Deus é um Deus que escolhe lados. Ele não é neutro. Deus é um Deus que está sempre ao lado do pobre, do oprimido, dos pequeninos que são desprezados. É por essa razão que nós, a igreja, temos de ser solidários com o pobre, com o desabrigado, com o faminto, com o oprimido.

Portanto, irmãos e irmãs, vocês estão recebendo um chamado elevado. Vocês precisam lembrar à igreja que sempre que ela é obediente ao Mestre e Senhor, ela acaba, como seu Mestre e Senhor, na cruz. Porque quando a igreja fala em nome do fraco e do pobre, os ricos e poderosos não gostam, e a igreja termina sofrendo. Uma igreja que não sofre não é a igreja de Jesus Cristo.

4

O culto principal do domingo durante a visita ao Zaire foi transferido pelo governo de um estádio em Kinshasa para o ambiente cercado pelos legisladores nacionais, o Palais du Peuple, mais facilmente controlado pelas tropas de Mobutu.

A África tem uma característica nada invejável de produzir a maior quantidade de refugiados do mundo. É claro, muitos refugiados se devem a desastres naturais. Mas, infelizmente, irmãos e irmãs, a maioria deles se deve à injustiça e à opressão presentes na própria terra natal. Precisamos confessar, com tristeza e humildade, que a África detém um dos piores recordes de violação dos direitos humanos. A África sofre com um dilúvio de ditaduras militares.

Em muitos lugares, tudo que mudou para o povo que sofre foi a cor da pele do opressor. No período colonial o opressor tinha uma cor de pele diferente. Hoje, infelizmente, a cor da pele do opressor é a mesma da do oprimido.

Portanto, digamos para todos os governantes injustos em qualquer lugar: "Cuidado! Atenção! Preste atenção na África do Sul. Preste atenção, onde quer que você esteja, governante injusto." Não temos dúvidas de que seremos livres. O sangue de Jesus nos comprou para que sejamos livres para desfrutar a gloriosa liberdade dos filhos de Deus.

5

Em outubro de 1989, Tutu visitou Cartum, no Sudão, quatro meses depois de Omar Hassan al-Bashir (que ainda estava governando o país quando este livro foi para a gráfica) tomar o controle do governo em um golpe militar. Como em Kinshasa, as críticas mais contundentes de Tutu não estavam direcionadas ao governo do país que o convidara. Porém, também como em Kinshasa, os estudantes da Universidade de Cartum puderam traçar os próprios paralelos, como ficou demonstrado pelos aplausos quando ele citou os abusos comuns tanto à África do Sul quanto ao Sudão.

Amigos, a África pode dar muitos presentes ao mundo, mas a África está em agonia, a África está angustiada; a África está sofrendo com a pobreza, com a subnutrição, com toda sorte de coisas horríveis. A África também sofre com um dos recordes mais horrendos contra os direitos humanos. Dizer que não podemos tolerar essa situação nada tem a ver com fazer política. Não podemos permitir que pessoas digam que é ruim haver prisões sem julgamento na África do Sul — e eles com razão condenam isso —, e depois esperar que você fique quieto quando o mesmo acontece em outro lugar. É preciso dizer que é errado lá, como também se deve dizer que é errado em qualquer lugar. Se não tomarmos cuidado, a África irá morrer. E acabaremos tendo de responder diante do trono de Deus. "O que você fez? O que você fez para lutar pela justiça?"

Precisamos dizer que estamos muito, profundamente, aflitos com o que está acontecendo aqui, com esta guerra civil, em que as crianças morrem de fome e muitos acabam desalojados. Não podemos fingir que nada está acontecendo, amigos. A saudação que os muçulmanos usam é *Salaam*, que significa paz — paz não no sentido negativo, mas no sentido de que você luta pela prosperidade, pela união, pela bondade, pela compaixão, pelo amor, pelo cuidado, pela partilha. Caso contrário, você não é um bom muçulmano. Se não luta pelo estabelecimento do Reino de Deus, seja cristão ou judeu, então você não é um bom cristão, não é um bom judeu.

Viemos com humildade, viemos tremendo para dizer, irmãos e irmãs, que se vocês falharem aqui, farão com que nós falhemos na África do Sul. Porque sempre nos dizem: "Vocês dizem que querem a liberdade, negros, mas o que vocês sabem sobre liberdade? Olhe o que está acontecendo na Etiópia, olhe o que está acontecendo no Sudão, veja o que estão fazendo em Uganda." E então nos sentamos e sofremos sob o regime do *apartheid*. Vejam, devemos permanecer unidos. Se vocês alcançarem o sucesso, nós alcançamos o sucesso; se vocês falharem, nós falhamos. Por isso oramos para que vocês se manifestem, faremos de tudo para participar com vocês, para que um dia a África seja verdadeiramente livre — *toda* a África: negros, brancos, amarelos e todos os filhos de Deus.

6

Depois de Cartum, Tutu foi para Adis Abeba, onde Mengistu Haile Mariam presidia o regime totalitário que estabelecera após depor Haile Selassie, antigo governante da Etiópia há 15 anos. Quando o sermão do qual os excertos seguintes foram tirados foi proclamado em

Adis Abeba, houve um rebuliço por parte dos membros da congregação que falavam inglês e amárico, língua para a qual o sermão era traduzido. Soube-se depois que o sermão traduzido não foi igual ao que foi pregado — certas coisas não eram ditas em público em amárico, na Etiópia.

Vocês se lembram da história do profeta Elias, quando ele teve de participar de uma competição com 400 profetas de Baal (1Reis 18:17-39)? Ele disse aos filhos de Israel: "Vocês precisam escolher entre Deus e Baal, o falso deus." Depois, acrescentou: "Vamos fazer uma competição; escolheremos dois novilhos. Vocês, profetas de Baal, devem sacrificar seu novilho e colocá-lo sobre a lenha, sem atear fogo. Eu tomarei o outro novilho; eu o sacrificarei e o colocarei sobre a lenha, também sem atear fogo. Então os dois grupos devem invocar seu deus, e o deus que responder com fogo será considerado o verdadeiro Deus." Então, Elias disse para os profetas de Baal: "Podem começar: invoquem seu deus." Os profetas de Baal começaram a dançar e a invocar seu deus: "Baal, ouça, por favor!" Eles dançaram, cortaram-se, fizeram tudo que foi possível, chamando: "Baal, ouça, por favor!" Mas nada aconteceu. E lá estava Elias, rolando no chão de tanto rir dos profetas de Baal. Então, talvez tenha se virado para eles, dizendo: "Gritem mais alto. Talvez seu deus esteja surdo; ele não pode ouvir. Talvez ele esteja de férias. Talvez seu deus esteja dormindo. Talvez ele tenha ido embora" — bem, na Bíblia consta que ele talvez tenha se ausentado para se render.

O ponto é: nosso Deus nunca tira um dia de folga. Nosso Deus está sempre presente. Nosso Deus não tira férias. Nosso Deus não é surdo. Nosso Deus nunca dorme. Vocês se lembram de quando Deus falou com Moisés? Ele disse: "Eu vi o sofrimento do meu povo. Eu ouvi o choro das pessoas. Conheço o sofrimento delas e vou descer para libertá-las." Quando estávamos sob a escravidão do diabo, Deus enxergava nosso sofrimento como resultado da opressão do diabo. Deus viu, Deus conheceu e Deus veio na forma do nosso Senhor e Salvador Jesus Cristo para nos libertar da escravidão.

Olhem para a África de hoje, para os filhos de Deus sofrendo por toda a África — os pobres cada vez mais pobres, os famintos cada vez mais famintos. Olhem para toda a África e vocês verão muitos dos filhos de Deus sofrendo com a opressão. Verão os filhos de Deus serem presos, muitas vezes sem qualquer motivo. Verão os filhos de Deus espalhados por toda a África serem tratados como se fossem lixo. Em muitas partes da África pode-se ver os filhos de Deus terem o nariz esfregado no chão. É possível ver os filhos de Deus sendo pisados pelos pés dos poderosos. Em muitas partes da África, os filhos de Deus não podem falar o que desejam porque, quando dizem "Não, isto é errado", são levados para a prisão, ou acabam mortos. Isso acontece não só na África do Sul, apesar de, lá, ser ainda mais óbvio.

Olhem para toda a África. Há guerras aqui, ali, em toda parte. A guerra está no Sudão, no Chade, na Etiópia. As pessoas perguntam: "Onde está Deus? Onde está Deus, enquanto sofremos assim?" Pois viemos para dizer que nosso Deus é um Deus que enxerga. Nosso Deus é um Deus que sabe. Nosso Deus é um Deus que ouve. Quando os filhos de Deus choram por causa da escravidão, quando choram por causa da fome e da inanição, Deus sabe, Deus vê, Deus ouve e Deus vem para libertar seus filhos. Ele vem para libertar seus filhos da escravidão, porque Deus é um Deus que fica do lado do faminto, do pobre, do marginalizado.

Portanto, podemos dizer aos poderosos de toda parte, podemos dizer aos opressores de todos os países: "Cuidado! Cuidado! Cuidado, porque Deus vem para libertar." Se você é um opressor, então é um adversário de Deus, e quem é você para tentar se levantar contra Deus? Por isso dizemos aos filhos de Deus de toda parte que Deus irá libertar vocês. Deus convoca todos vocês, que são seguidores de seu Filho, a trabalharem com Deus, a serem os primeiros a alimentar o faminto em nome de Deus, a serem os primeiros a vestir quem tem frio em nome de Deus, a serem os primeiros a dar de beber a quem tem sede em nome de Deus. Deus convoca vocês, que são os colegas de trabalho dele, seus parceiros, a trabalharem pela justiça e pela paz, para que a África, para que a Etiópia, para que *toda* terra seja uma terra que reconhece Deus como Senhor e Rei.

Dezenove meses depois, o regime de Mengistu ruiu sob a pressão combinada dos rebeldes da província de Tigray, da guerra de independência da Eritreia e da retirada do apoio soviético depois da ascensão ao poder de Mikhail Gorbachev. Quando as forças de Tigray e da Eritreia cercaram Adis Abeba, Mengistu fugiu para o exílio no Zimbábue. Acabou julgado, mesmo ausente, pelas acusações de genocídio, segundo as leis da Etiópia. Mengistu foi condenado e sentenciado à prisão perpétua; uma corte de apelação reavaliou o julgamento e determinou a pena de morte. Em 2010, o presidente do Zimbábue, Robert Mugabe, continuava a conceder asilo a Mengistu.

7

Em 1990, Tutu levou sua campanha pelo respeito aos direitos humanos na África para a África Ocidental, onde, em visitas a Gana e à Nigéria, propagou um lema — que ele usou primeiro no Quênia — sobre o custo de um governo autoritário.

Continuamos tentando dizer aos governantes, da África e de toda parte, que não são líderes democráticos: "Ei, aprendam esta verdade: a liberdade é mais barata que a repressão!" Quando se é um líder popular, quando se é um líder escolhido pelo povo, acaba não precisando de muita segurança; todo o povo se torna sua força de segurança.

Por favor, por favor, por favor, governantes da África, deem ao povo a liberdade de escolher, e de escolher livremente. Quando assim o fazem, quando se abrem e dizem ao povo "Vocês estão livres", a energia que emana do povo é incrível, porque o povo sente um orgulho notável, um patriotismo profundo. As pessoas querem ver seu país alcançar o sucesso a ponto de poderem andar de queixo erguido, com orgulho, querem dizer: "Venho de Gana, e nós somos livres em Gana", "Eu venho da Nigéria, e lá somos livres; podemos dizer tudo quanto desejarmos."

Em quase todo lugar, os governantes estão privados do contato com o povo. Eles não ousam caminhar em meio ao próprio povo. A África é valiosa demais para ser deixada nas mãos de ditadores. As pessoas esqueceram qual é o jeito africano de governar. Em grande parte da África o bom chefe era o homem que conseguia ouvir e estabelecer um consenso. O consenso acontece porque as pessoas têm diferentes pontos de vista, mas o bom líder diz: "Eu ouvi a todos; não estamos votando, mas, depois de ouvir vocês, acredito que a maioria pense que devemos seguir por este caminho, em vez de por este outro."

O líder que conseguia compreender o que o povo queria era o líder que permanecia mais tempo no trono. O chefe que não entendia, não ficava tanto. Queremos que nossos líderes perdurem por serem governantes apoiados pela vontade e pelo consentimento do povo. Queremos que a África seja a estrela do mundo, por ser um continente muito, muito dotado de riquezas, mas que foi empobrecido por líderes que muito se enriqueceram ao custo das pessoas comuns.

Por isso, dizemos: "Viva a liberdade! Vida longa à liberdade! Vida longa à democracia! Vida longa ao povo!"

Capítulo 8

Cuidado! Cuidado!

Sobre a esperança e os direitos humanos em situações de conflito

Para além da África, Desmond Tutu foi convidado a assumir a direção das igrejas anglicanas do Canadá (arcebispo Michael Peers), dos Estados Unidos (bispo primaz Edmond Browning) e das Índias Ocidentais (arcebispo Orland Lindsay) em uma visita pastoral à América Central. Dois anos depois, visitou a Irlanda.

1

O governo sandinista controlava o poder na Nicarágua, enquanto a administração dos Estados Unidos apoiava os rebeldes do grupo dos "Contras" que tentavam depor o regime. Em um sermão proclamado na igreja St. Francis, em Manágua, Tutu passou aos nicaraguenses a mesma mensagem que pregara aos que sofriam na África.

Viemos aqui para dizer a vocês, irmãos e irmãs da Nicarágua, que não estão sozinhos. Vocês têm mais irmãos e irmãs do que imaginam, e em muitas partes do mundo. Queremos dividir algumas palavras com vocês, pois ficamos fortalecidos com seu testemunho.

Vocês se lembram daquela maravilhosa história bíblica dos três jovens (Daniel 3)? O rei havia construído uma grande estátua, e disse: "Todos que vivem nesta terra devem adorar esta estátua. Quem se recusar a adorar a estátua do rei será jogado em uma fornalha em chamas." Lembrem-se dos três jovens que disseram: "Não iremos adorar a estátua do rei." O rei ficou muito bravo, muito mesmo, e disse: "O quê? Vocês não vão adorar a minha estátua?", ao que os jovens responderam: "Isso mesmo, rei." O rei respondeu: "Façam a fornalha arder sete vezes mais." Os jovens devolveram: "Bem, veja, nós temos um Deus. Adoramos esse Deus. O nosso é o Deus verdadeiro. E esperamos, é claro, que ele nos liberte. Mas, mesmo que isso não aconteça, continuaremos adorando apenas a ele." A fornalha estava tão quente que o relato diz que até os servos que conduziam os jovens para dentro dela acabaram queimados até virar cinzas. Bem, quero dizer, é uma história, de modo que não sei como os jovens foram jogados na fornalha, sei apenas que foram jogados. Então, o rei olhou e viu algo que o deixou bastante surpreso. Os jovens não tinham sido queimados. O rei olhou e enxergou os três jovens. Eles estavam andando sobre o fogo! Não, não! Não eram apenas três. Havia uma quarta pessoa. O rei olhou de novo, e disse: "Aquele quarto homem parece com um deus."

Esse é o Deus que adoramos. Adoramos um Deus que não dá conselhos de uma distância enorme e segura. Nosso Deus é um Deus que entra na tribulação da fornalha conosco. Nosso Deus é Emanuel — "Deus conosco".

E agora estamos aqui, na Nicarágua. Ouvimos toda a história do sofrimento do povo da Nicarágua sob a ditadura de Somoza;[1] sobre como as pessoas costumavam desaparecer, sobre como as pessoas costumavam ser presas, sobre como o rico ficou ainda mais rico e o pobre ainda mais pobre. O povo falou com Deus, dizendo: "Estamos em uma fornalha aqui." Deus veio e Deus permaneceu com o povo da Nicarágua, e Deus libertou o povo da Nicarágua. Todos disseram: "Ah, o céu desceu à terra." E então, a guerra tornou a irromper. Algumas das pessoas ricas do mundo decidiram que queriam ensinar uma lição para a Nicarágua.[2] Pois tornamos a vir aqui e encontramos novamente o povo da Nicarágua sofrendo. O povo da Nicarágua quer paz, mas não consegue tê-la. O povo da Nicarágua deseja poder viver em harmonia. As pessoas daqui se perguntam: "Onde está Deus?"

Viemos para dizer para vocês: nosso Deus, seu Deus, não está em algum lugar distante no céu. Nosso Deus, seu Deus, está aqui. Seu Deus, nosso Deus, é o quarto na fornalha em chamas. Nosso Deus, seu Deus, decidiu vir a terra sob a forma de um bebê. Seu Deus, nosso Deus, nasceu em um estábulo. Seu Deus, nosso Deus, disse, e *diz*: "Eu amo você. Amo você como se você fosse o único ser humano da terra. Amo tanto você que estou disposto a dar o que tenho de melhor. Não isso, nem aquilo. Dou a você meu primogênito. Amo você com um amor que não muda. Amo você com um amor que dura para sempre. Amo você, e por isso acabei na cruz por você. Você é importante para mim. Você, você e você: conheço você pelo nome." Não é maravilhoso? Até mesmo os fios de cabelo em sua cabeça foram contados. Nosso Senhor Jesus Cristo diz que você tem mais valor que um pardal. E nenhum pardal cai no chão sem que o Pai tenha conhecimento.

Jesus disse: "Eu tive fome, e vocês me deram de comer; tive sede, e vocês me deram de beber; estive preso, e vocês me visitaram" (Mateus 25:35,36). *Ora, ora! Mas quando foi que vimos Jesus e ele estava nestas condições?* E Jesus nos responde: "O que vocês fizeram a alguns dos meus menores irmãos, a mim o fizeram" (Mateus 25:40). Vocês querem saber quem é Deus? Bem, olhem para a esquerda e olhem para direita. Aí está o seu Deus.

Nós temos um Deus maravilhoso. Pois nosso Deus diz que cada um de nós tem tanto valor, que somos, na verdade, portadores de Deus. Cada um de nós. São Paulo diz que somos santuários do Espírito Santo. Somos templos de Deus. Cada um de nós — cada um de nós aqui, todos nós. Deus diz: "Estou com vocês do jeito mais íntimo. Especialmente com vocês, que são pobres, especialmente com vocês, que são oprimidos. Eu, o seu Deus, tenho um cuidado especial por vocês — vocês que não têm voz no mundo, vocês que são tratados como se não fossem nada." São essas pessoas que merecem o cuidado especial de Deus, os que estão na fornalha do sofrimento e da angústia. Essas pessoas sabem que temos um Deus que entra na fornalha. Temos um Deus, o Deus Todo-Poderoso, que também é um Deus fraco. Temos um Deus maravilhoso, eterno, imortal, mas que também é moribundo. Pois nosso Deus se coloca em nosso lugar. Deus se identifica conosco. É por isso que podemos compartilhar com vocês, aqui, na Nicarágua, e dizemos que vocês, quando sofrem, na verdade, é como se Deus, de algum modo, dissesse: "Vocês são especiais para mim." Vejam o que Deus fez ao próprio Filho. Quando se tem a predileção de Deus, ele faz com que você experimente a cruz.

Deus pede: "Vocês podem, por favor, me ajudar? Vocês podem, por favor, me ajudar a salvar o mundo?" Deus vem ao povo da Nicarágua e diz: "Com o seu sofrimento e por ele, com a cruz que vocês carregam e por ela, por favor, me ajudem, ajudem a salvar o mundo." Ofereça seu sofrimento para que Deus possa transformar a feiura do mundo. Deus está pedindo agora para vocês: "Por favor, sejam meus parceiros. Vocês podem ser meus colaboradores? Por favor, podem me ajudar a transformar a feiura do mundo? Por favor, podem me ajudar a levar a paz para onde há guerra? Por favor, podem me ajudar a levar a reconciliação para onde há disputas? Por favor, podem me ajudar a levar a felicidade para onde existe a tristeza? Por favor, podem me ajudar a levar a união para onde há separação? Podem, por favor, me ajudar a encontrar e a reunir aqueles que estão separados? Por favor, podem me ajudar a fazer meus filhos saberem que são meus filhos, que devemos ser unidos, que só conseguimos sobreviver unidos, que só conseguiremos ser livres se formos unidos, que só seremos humanos se formos unidos?"

Portanto, saibam, queridos irmãos e irmãs, que nosso Deus está com vocês, nosso Deus é Emanuel. Nosso Deus entrou na fornalha com você. E nosso Deus é o Deus do Êxodo. Nosso Deus é o Deus libertador. Nosso Deus está conduzindo você para fora da escravidão. Nosso Deus está conduzindo você para a Terra Prometida.

2

Depois de visitarem a Nicarágua, os arcebispos viajaram para o Panamá, onde o governante de facto era o ditador general Manuel Noriega. O país experimentava a tensão da proximidade das eleições, marcadas para maio, convocadas mesmo com o cenário de detenções e restrições à liberdade de imprensa. Os líderes religiosos só consentiram em encontrar Noriega depois de decidirem dar uma declaração pública de que haviam questionado o ditador a respeito das atitudes do regime em relação aos direitos humanos. As alusões de Tutu à opressão do regime de Noriega mal disfarçadas sob a forma de críticas ao regime do apartheid *arrancaram risadas e suspiros de satisfação quando ele se dirigiu ao público no centro cívico do Panamá durante a Semana Santa.*

Todos os que se opõem ao governo da África do Sul, os que se opõem à injustiça e à opressão, são tratados com grande severidade. Às vezes acabam banidos no próprio lar, em um tipo de exílio interno. Às vezes são banidos, o que significa que estão presos, como se estivessem em uma prisão domiciliar. Às vezes as pessoas são presas sem serem julgadas.

Estou usando um laço vermelho hoje. Os membros das igrejas do meu país propuseram que usássemos laços vermelhos em solidariedade às pessoas que são presas sem qualquer julgamento. Algumas dessas prisões sem julgamentos duram já faz três anos, sem que nunca essas pessoas pisassem em um tribunal. Elas não são culpadas de crime algum. A polícia decide que você é uma ameaça à segurança e você simplesmente desaparece, sem que sua família saiba do seu paradeiro. É comum um detento não poder receber visitas. Algumas pessoas são assassinadas por serem adversárias do governo, e a polícia, de algum jeito, não consegue encontrar os assassinos. É uma coincidência muito estranha — os inimigos do *apartheid* podem ser mortos e a polícia não consegue dizer quem matou. Os quartéis-generais dos adversários do *apartheid* são bombardeados e queimados. Mas ninguém consegue encontrar os culpados. Ser contra o *apartheid* é, cada vez mais, um crime: algumas pessoas que se opuseram ao *apartheid* acabaram acusadas de traição.

A televisão e o rádio na África do Sul não passam de instrumentos de propaganda do estado. Os adversários do governo são difamados nesses veículos de comunicação, sem terem qualquer direito de resposta; a imprensa sofre com severas restrições; alguns jornais foram fechados — estou falando apenas da África do Sul.

É comum que nosso povo se encha de desespero, e que se pergunte: "O que fizemos para merecer todo esse sofrimento?" É importante para a igreja de Deus dizer para o povo de Deus:

"Ei, ei, ei! Nosso Deus vê. Nosso Deus ouve. Nosso Deus sabe, e nosso Deus virá para nos libertar." E passamos a mensagem. Na África do Sul dizemos assim: "Ei, ei, ei! Nós vamos ser livres. Não estamos pedindo permissão para os governantes da nossa terra. *Sabemos* que vamos ser livres." Dizemos para os opressores: "Quer saber de uma coisa? Estamos sendo legais com vocês. Estamos convidando vocês a passarem para o lado vencedor. Venham, juntem-se ao lado vencedor, porque vocês já perderam."

Pois é isso o que diz a Bíblia sobre o bom governante: "Deus, dê a sua justiça para o rei, sua retidão para o Filho Real." Para quê? "Para que ele bem possa governar seu povo e para que o faça com justiça, para que ele defenda os mais pobres, para que ele salve os filhos dos que passam necessidades. O bom governante esmaga os opressores. O bom governante liberta o pobre que o chama e aqueles que precisam de ajuda. Ele tem pena do pobre e do frágil, e salva a vida dos que têm necessidades" (Salmo 72).

Eu estou lendo a Bíblia. Não estou lendo um manifesto de algum partido político. O bom governante resgata a vida do necessitado, acabando com a exploração e com a indignidade porque a vida do necessitado é valiosa para o governante. Se você governa, mas não o faz assim, então está em apuros. Está em grandes apuros com Deus. Está com um problema enorme. Tentamos dizer aos opressores de todo o mundo: "Você não é Deus. Você é apenas um ser humano comum. Você pode até ter muito poder agora. Ah, mas cuidado! Cuidado! Cuidado!"

Sabe, Hitler pensava que tinha muito poder. Onde está Hitler agora? Mussolini achava que tinha muito poder. Onde ele está hoje? Franco acreditava que tinha muito poder. Somoza... Bom, vou passar à África. Vamos cruzar o oceano e passar à África. Idi Amin pensava que tinha muito poder. Onde ele está hoje? Poderíamos continuar com essa lista. Mas dizemos: "Este é o mundo de Deus, e Deus é que comanda este mundo."

Portanto, podemos andar de cabeça erguida. Não precisamos pedir desculpa por existir. Deus não cometeu um erro quando nos criou. Nosso Deus ouve. Nosso Deus se importa. Nosso Deus sabe e nosso Deus irá chegar para libertar seu povo. Nosso Deus vem para libertar seu povo aqui e em todo lugar, na África do Sul, hoje. Talvez não hoje. Amanhã? Talvez não amanhã. Mas o que pode nos separar do amor de Deus? Absolutamente nada é capaz de nos separar do amor de Deus em nosso Senhor e Salvador Jesus Cristo.

O candidato de Noriega perdeu as eleições de maio de 1989, fazendo com que as eleições fossem anuladas. Depois de um impasse com os Estados Unidos — que ainda mantinham bases militares no Panamá —, Noriega foi deposto pelas forças norte-americanas em dezembro de 1989. Depois de ser preso na Flórida por tráfico de drogas, extorsão e lavagem de dinheiro, Noriega foi extraditado para a França em 2010 para responder pelas acusações de lavagem de dinheiro naquele país.

3

Na Irlanda, a sinceridade de Tutu nos discursos a respeito do futuro do Norte causou alarme em 1991. Na época, os britânicos estavam tentando criar um diálogo entre todos os partidos da Irlanda do Norte, exceção feita aos republicanos, representados por Sinn Féin, sob acusação de uso de violência por parte do Exército Republicano Irlandês (IRA). Tutu tratou do assunto em um sermão televisionado ocorrido na Catedral da Igreja de Cristo, em Dublin.

Amigos, oramos por vocês nesta linda ilha que chamam de lar. Oferecemos nossa simpatia àqueles que sofreram dos dois lados com os problemas que afetam esta ilha. Damos graças a Deus pelas pessoas, da igreja e de toda parte, que trabalham pela reconciliação, pela paz e pela tolerância; que clamam pela celebração da rica diversidade cultural, religiosa, das perspectivas políticas e das tradições.

Condenamos toda violência, de qualquer parte, e suplicamos a quem a perpetua que dê uma chance à paz e às negociações. Não tenho nenhum direito nem conhecimento superior para falar sobre os complexos problemas e dificuldades que vocês enfrentam, exceto por ter vindo de uma terra de sofrimento semelhante; é como um frágil irmão de vocês que eu peço: que as negociações sejam as mais inclusivas possíveis. Não permitam que algum grupo sinta que foi deixado de fora.

Qualquer grupo, por menor que seja, que tenha reclamações, reais ou imaginárias, não pode se sentir excluído; caso contrário, deem adeus à possibilidade de paz. Deixem que todos sejam representados por quem reconhecem como porta-voz legítimo; caso contrário essas conversas, como descobrimos lá em casa, se tornarão meros exercícios de futilidade. Tenham esperança, pois mesmo pessoas que juraram nunca falar umas com as outras agora estão conversando na África do Sul. O mesmo pode acontecer aqui.

Depois do serviço, um jornalista perguntou se o sermão fora um apelo para a inclusão de Sinn Féin.

Eu disse que as negociações devem ser inclusivas e as pessoas precisam decidir, aqui, o que isso significa — quero dizer, quais são os grupos que representam a população. Não viemos com nenhuma receita pronta.

Certo diplomata britânico, já veterano, respondeu ao sermão interceptando Tutu em um corredor da catedral e pedindo que ele não atrapalhasse as delicadas negociações que estavam acontecendo nos bastidores.

4

Em uma entrevista à rede BBC na Irlanda do Norte, Tutu fez menção à violência na África do Sul na época da transição e que fora causada pelo medo do Partido da Liberdade Inkatha, do chefe Mangosuthu Buthelezi, de que eles seriam deixados de lado nas conversas que ocorreram entre o Congresso Nacional africano e o governo do apartheid.

Estou falando com base na experiência que tivemos em casa. Sempre que um grupo acredita que será marginalizado, então pode-se dizer que não há esperança alguma de qualquer conversa obter sucesso. Estou apenas dizendo que, quando se está comprometido com a paz e a reconciliação — como, tenho certeza, é o caso da Irlanda do Norte — então, por menor que seja o grupo, se ele sente que tem reclamações a fazer e está sendo excluído, então não há chance de esse grupo aceitar quaisquer acordos que sejam firmados.

Se o povo está preocupado com a violência e suas implicações, temos alguns exemplos em casa, como é o caso da Namíbia, onde se disse: "Falamos apenas com a ala interna da Swapo, que não está envolvida com a violência ou com a luta armada, e não vamos falar com o grupo que está metido com a violência." Mas não quero sugerir que tenho uma receita pronta.

Quando muitas precondições são lançadas, isso deixa as conversas mais vulneráveis: o outro lado pode desejar estabelecer as próprias condições. Queremos orar para que a rodada de negociações seja a mais clara possível, para que tantas precondições sejam abandonadas o quanto antes. Não estou dizendo que não deve haver nenhuma precondição — porém, quanto menos precondições, maiores as chances de incluir a todos e maiores as chances de as conclusões alcançadas em tais negociações serem aceitas por todas as partes.

A maioria das pessoas deseja a paz, e não tenho nenhuma dúvida de que vocês conseguirão alcançar o sucesso.

Depois disso, o governo britânico estabeleceu contatos secretos com o IRA como parte do processo de paz que levou ao acordo da Sexta-Feira Santa,[3] em 1998.

Capítulo 9

Nossa salvação está nas mãos dos judeus

Sobre o conflito israelo-palestino

As opiniões de Desmond Tutu sobre o Oriente Médio despertaram as críticas mais virulentas contra ele desde os ataques que enfrentou dos brancos sul-africanos nos anos 1980 — críticas que perduraram por mais de duas décadas. Primeiramente se concentrando na colaboração militar entre o governo do apartheid *da África do Sul e Israel nos anos 1970, Tutu, após ganhar o Prêmio Nobel da Paz, começou a estender seus comentários às relações entre israelenses e palestinos.*

1

A primeira intervenção de Tutu na questão aconteceu na sinagoga Stephen Wise Free, em Nova York, nos Estados Unidos, em janeiro de 1989. Grande parte de seu discurso agradecia às raízes judaicas da fé cristã e lembrava os clamores por justiça no Antigo Testamento. A parte que levou o debate ao auge está incluída aqui.

Vocês tem sido uma tremenda luz para o mundo, e nós, os oprimidos de hoje, damos grandes graças a Deus por vocês. Temos orgulho de conhecer as riquezas dos nossos antepassados judeus. Temos orgulho de saber que também somos descendentes de Abraão. Damos graças a Deus pelo povo judeu. Não digo isso só por estar neste lugar. É apenas parte da nossa tradição. Sua história é a nossa história. Deus parece operar de maneiras extraordinárias. Em minha pátria, muitos daqueles que encabeçaram a luta eram judeus, e nós os saudamos. Lembro-me com profunda gratidão de que, quando fomos investigados pelo governo sul-africano, quando eu ocupava o cargo de secretário-geral do Conselho das Igrejas da África do Sul, nosso promotor público chefe era Sydney Kentridge,[1] do famoso inquérito de Biko — uma pessoa extraordinária.

Agradecemos a Deus por Israel, como uma nação que passou a existir. Essa nação tem direito à integridade territorial e à segurança fundamental contra os ataques daqueles que renegam seu direito de existir. Condeno categoricamente todo tipo de terrorismo, em qualquer lugar — nesse caso em particular, do terrorismo contra Israel, embora os israelenses devam ser lembrados que, na luta pela independência, alguns de seus líderes se engajaram no que o mundo teria descrito como terrorismo. Misericordiosamente, porém, Israel como nação e os judeus como indivíduos não são infalíveis. Não podiam ter a pretensão de ser Deus. Isso seria uma idolatria imperdoável. No entanto, tantas e tantas vezes, quando Israel como governo ou nação é criticada por alguns aspectos de sua política, muitos judeus também não demoram em acusar os críticos de antissemitismo. Eu caí no desgosto de muitos judeus por causa dessa crítica. É maravilhoso saber que existem judeus em Israel que se lembram dos altos padrões de justiça e conduta que são esperados de Israel. E foi por isso que meio milhão de judeus protestaram contra o envolvimento de Israel nos horrores dos campos de refugiados libaneses alguns anos atrás. Aqueles que protestaram fizeram Israel se orgulhar e mostrar que, como país, é fundamentalmente democrático, que não teme a autocrítica.

Os negros da África do Sul e deste país, acredito, e os oprimidos do mundo inteiro esperavam que os judeus, por força da lógica, ficariam do lado de quem luta contra a injustiça, a exploração e a opressão, dada a natureza da história de seu povo na saga pela sobrevivência. Portanto, tenho de dizer mais uma vez: nós, negros da África do Sul, não conseguimos entender como um povo com uma história como a de vocês pode permitir que o governo de Israel, por mais que esteja fora de sintonia com o povo, tenha um comportamento com o governo da África do Sul como o que se apresenta hoje; como vocês permitem que seu governo se envolva e coopere com nosso governo na questão nuclear, especialmente na questão da segurança, abastecendo, assim acreditamos, o governo sul-africano com técnicas para reprimir levantes populares. Não conseguimos compreender como os judeus conseguem cooperar com um governo cuja maioria dos membros era simpática a Hitler e aos nazistas e que, durante muito tempo, se recusou a aceitar judeus em suas fileiras apenas por serem judeus. Obviamente, acho extremamente bizarro que um judeu queira se filiar ao Partido Nacional agora que isso é possível, mas esse é outro assunto. Criticar Israel pela colaboração com os Nacionalistas que sustentam uma política contra os negros similar ao que foi o nazismo não significa ser antissemita. Quer os judeus assim me acusem ou não, continuarei um crítico feroz de Israel nesse aspecto. As relações entre negros e judeus na África do Sul e nos Estados Unidos continuarão a sofrer altos e baixos até que Israel repudie categoricamente essa política e se distancie do governo sul-africano. Quando isso acontecer, então haverá uma melhora significativa na relação entre nossos povos.

Não que a relação passará a ser automaticamente amistosa, já que há outro obstáculo, que é a questão dos palestinos. Eu evitei falar em público a respeito dessa questão até hoje em virtude da apreensão de ser chamado de antissemita. Porém, preciso dizer que acho muito, muito difícil compreender a política de Israel em relação ao assunto. Não conheço todas as variáveis envolvidas. Minha posição fica ainda mais prejudicada por dois fatores. Sou cristão, e muitos palestinos são cristãos — para ser mais exato, a maioria é anglicana —, e a angústia que eles sentem parte meu coração. Em segundo lugar, eu sou negro e sul-africano, e se você mudar apenas os nomes, a descrição do que está acontecendo na Faixa de Gaza e na Cisjordânia poderia ser a mesma descrição do que está acontecendo na África do Sul. Trata-se de uma situação obscura e muito, muito lastimosa. Israel não pode fazer isso; trata-se de um desalinho com suas tradições bíblicas e históricas. Israel, ou bem podemos dizer, os judeus, depois de tanto sofrer, não podem permitir que seu governo seja a causa do sofrimento de outras pessoas. Os judeus, depois de expatriados por muito tempo, não podem permitir que seu governo expatrie quem quer que seja. Os judeus, depois de serem vítimas de tanta injustiça, não podem permitir que seu governo faça ainda mais vítimas de injustiça. É uma tremenda contradição. Infelizmente, porém, em verdade, até que a questão palestina seja resolvida com base na igualdade, as relações com os negros na África do Sul e, acredito, dos Estados Unidos, não sentirão qualquer tentativa de melhora.

Quero agora fazer uma sugestão. Trata-se de uma sugestão que faço pela primeira vez aqui. E a faço sem consultar Eli Wiesel. Nós dois fomos laureados com o Nobel da Paz. Não seria possível que ele e eu nos ofereçamos como mediadores para ajudar nessa questão? Ofereço-me com humildade, mas com o compromisso de lutar pela justiça, pela reconciliação e pela paz. Aproveito também para pedir que vocês, com a força que têm dentro dos Estados Unidos, pressionem Israel em nome de um assentamento justo para os palestinos. Peço que vocês pressionem Israel para repudiar a política praticada na África do Sul. Peço que vocês pressionem o governo dos Estados Unidos no que tange aos direitos humanos dos negros e de outras minorias. Peço para que vocês deixem claro que não irão apoiar um governo norte-americano, democrata ou republicano, que colabore com o governo sul-africano. Peço que vocês ajudem o governo norte-americano a pressionar o governo sul-africano a fazer ao menos estas coisas: suspender o estado de emergência, libertar todos os prisioneiros e reféns políticos, derrubar o banimento às organizações políticas e negociar uma nova constituição que contemple uma África do Sul justa, democrática e que não favoreça o racismo. Peço para que vocês pressionem os bancos deste país a, quando o giro das dívidas de empréstimos bancários para o governo da África do Sul for revisado, não permitirem a rolagem da dívida até que, no mínimo, as condições que mencionei tenham entrado em pauta.

Por fim, peço a vocês: juntem-se à nossa causa. Fazer oposição ao regime do *apartheid* sem o uso da violência é cada vez mais difícil. A oposição pacífica ao regime está sendo criminalizada, a ponto de o indivíduo que se oponha ao regime ser acusado de traição. Alguns dos líderes negros mais brilhantes foram acusados de traição no chamado julgamento de Delmas.[2] Suplico para que vocês façam coro à nossa insistência de que tais líderes tenham a possibilidade de apelação célere nesses horríveis julgamentos e que possam pagar fiança e responder em liberdade enquanto ocorre o julgamento. Tudo isso, meus amigos, vem do fundo do meu coração. Trata-se de um *cri de coeur*. A salvação, a nossa salvação, está nas mãos dos judeus.[3]

2

A peregrinação de Tutu à Terra Santa, no Natal de 1989, teve a companhia de Michael Nuttall, bispo de Natal e reitor recém-eleito da Igreja Anglicana da África Austral; e Njongonkulu Ndungane, chefe executivo da igreja e posterior sucessor de Tutu como arcebispo. Acompanhados também pelo anfitrião, o bispo anglicano de Jerusalém Samir Kafity, o grupo visitou lugares sagrados de muçulmanos, judeus e cristãos. Tutu falou aos jornalistas perto do santuário islâmico conhecido como Domo da Rocha.

Nós apoiamos o esforço do povo palestino em seu anseio por um estado e pela independência. Na África do Sul, estamos lutando por nossa afirmação.

Nós apoiamos o povo judeu em seu direito de existir como nação independente.

Oramos pelo futuro próximo em que o estado palestino irá existir lado a lado com o estado judeu, em que árabes e judeus irão dar as mãos ao responder um *Shalom* com um *Salaam*.

3

No Muro das Lamentações, em Jerusalém, Tutu deixou uma mensagem extemporânea às autoridades judaicas.

A nossa fé tem suas raízes no Judaísmo, que prega que a justiça é a base da fé e também o fundamento da paz. Em Jerusalém, a cidade da paz, oramos para que aquele a quem os cristãos chamam de Príncipe da Paz abençoe todos os povos e para que a justiça também aconteça para todos os povos.

Oramos pela justiça para o povo judeu, que sofreu em demasia e que, em muitas partes de nosso país, desempenhou um papel importante na luta pela justiça e pela paz. Oramos também para que o povo judeu, por sua vez, consiga servir como instrumento da justiça e da paz. Oramos para que se reconheça que esse povo tem direito a existir em um estado independente, mas também para que ele ouça os gritos dos palestinos, que também desejam ser um estado independente.

4

Durante a peregrinação, Michael Nuttall, que viria a desenvolver uma estreita parceria com Tutu, descreveu sua posição como "número dois de Tutu", e externou a esperança de servir como ícone para aqueles que visitavam. Tutu tratou do assunto com os monges franciscanos responsáveis pelos locais sagrados cristãos em Jerusalém.

Se é possível acontecer na África do Sul de um negro e um branco serem apontados como líderes de uma igreja de Deus — em um país atormentado pelo ódio e pela tensão racial — o mesmo pode acontecer em qualquer lugar. Se as possibilidades de reconciliação são visíveis na África do Sul, então a reconciliação também deve acontecer em outros lugares — especialmente aqui, o lugar que assistiu ao nascimento daquele que chamamos de Príncipe da Paz.

5

Na véspera de Natal, Tutu pregou em uma cerimônia de cânticos natalinos em Shepherds' Field [Campo dos Pastores], nas cercanias de Beit Sahour, vila próxima a Belém, onde moradores promoviam um levante contra as autoridades israelenses como parte da Primeira Intifada, a campanha palestina de desobediência civil contra a ocupação israelense iniciada em 1987. A cerimônia atraiu milhares de palestinos que, apesar da presença de tropas israelenses, transformaram o evento em uma demonstração de apoio à Organização para a Libertação da Palestina.

Algo estupendo, capaz de abalar as estruturas da terra, aconteceu em Belém naquela primeira noite de Natal: o Messias prometido por Deus, o próprio Filho de Deus, nasceu em Belém; e quem foram os primeiros a receber a boa nova? Não foram os altos sacerdotes, nem o rei e seus cortesãos; foram os pastores que vigiavam seus rebanhos durante a noite. Nossa gente na África do Sul ama essa história porque ela mostra que os pastores são, na verdade, mais importantes do que o mundo pensa. Certamente os pastores são importantes para Deus. O que é ainda mais maravilhoso é que essa história mostra que Deus tem um cuidado especial com aqueles que o mundo pensa não serem importantes. Que Deus fica do lado daqueles a quem o mundo despreza. Que Deus fica do lado daqueles a quem o mundo brutaliza. Que Deus está com aqueles a quem o mundo oprime.

6

Em uma coletiva de imprensa, após as cerimônias na Catedral de São Jorge em Jerusalém no dia de Natal, Tutu e Nuttall suplicaram por "negociações verdadeiras entre representantes autênticos dos israelenses e dos palestinos". Tutu também deu sua opinião sobre a Intifada.

Eu simpatizo com a intifada à medida que se constitui como alternativa estritamente pacífica e disciplinada de alcançar a justiça. Palestinos e israelenses têm iguais direitos de clamar por justiça e por afirmação. Não obstante, a força com que me identifico com a luta dos povos pela liberdade é a mesma com que deploro o uso da violência, quer seja a violência das partes que tentam mudar o que já existe, quer seja a violência daqueles que tentam defendê-lo. É necessário, portanto, ir além das ostensivas denúncias de violência. Precisamos insistir na extinção das condições que favoreçam o uso da violência.

7

Em 26 de dezembro, enquanto deixavam a catedral para visitar o Yad Vashem, o museu do Holocausto, os bispos viram que uma das paredes externas havia sido pichada durante a noite com uma frase que dizia: "Tutu é um negro porco e nazista." Após a visita ao memorial, Tutu registrou seus pensamentos no livro de visitantes.

[O Holocausto] Foi uma experiência perturbadora, e o mundo não deve se esquecer da desumanidade que cometemos contra o próximo. Oramos para que Deus abençoe todo o povo judeu e para que os judeus possam ser uma luz para as nações, a fim de impedir que esse mal torne a acontecer. Perdoai todos aqueles que oprimem o próximo, querido Deus.

8

Alguns palestinos anglicanos ficaram descontentes por Tutu ter visitado o Yad Vashem. Uma mulher protestou dizendo que o tratamento nazista impetrado aos judeus não era "o outro lado da história" do conflito entre palestinos e israelenses. "Não somos responsáveis pelo Holocausto", disse ela. Em um encontro posterior, uma delegação israelense liderada pelo ministro dos Assuntos Religiosos Zevulun Hammer fez especial objeção à comparação entre o tratamento dado por Israel aos palestinos e o tratamento do governo da África do Sul dispensado aos negros. Do grupo visitante faziam parte dois palestinos — Kafity e Naim Ateek, teólogo anglicano. Tutu falou aos jornalistas logo depois.

Eu ainda sinto que algumas das coisas que vi na ocupação da Cisjordânia são iguais às que vi em casa. Mas quero dizer que, ainda mais importante, é que nós, depois de deixarmos a dor para trás, talvez possamos ser usados por Deus para ajudar as pessoas que experimentaram a dor no passado, que experimentam a dor no presente, a ouvirem umas às outras.

Eu disse ao ministro dos assuntos religiosos de Israel que compreendemos as ansiedades, as apreensões, os medos do povo judeu. Tratei do assunto mais de uma vez, dizendo que é importante que os árabes, que os palestinos, reconheçam o direito de Israel a um estado soberano; da mesma maneira, espero que os israelenses ouçam a angústia e o clamor dos palestinos pelo reconhecimento igualitário das aspirações a um estado soberano.

Quero aproveitar para dizer que, onde quer que eu encontre injustiça e opressão no mundo, os causadores de tais sofrimentos devem saber que eu irei condená-los. Se eu for acusado, como muito acontece, de ser antissemita, paciência. Mas espero poder servir de instrumento de reconciliação e que esse encontro consiga ter o efeito de fazer com que algum árabe, algum palestino, sinta a vontade de falar com judeus, com israelenses.

9

O apoio de Tutu à causa palestina suscitou uma onda de críticas, sobretudo por parte de grupos judeus dos Estados Unidos. Na posse de David Dinkins como prefeito de Nova York, logo após a visita de Tutu a Jerusalém, um manifestante atirou uma bexiga cheia de água no palanque. Militantes da extremista Liga de Defesa Judaica do sul da Califórnia protestaram do lado de fora da Igreja de Todos os Santos, em Pasadena, enquanto Tutu pregava ali, alguns meses depois.[4] *Em maio de 1990, em uma visita de fim de semana durante o Memorial Day, em Cincinnati, a Igreja Episcopal — Diocese Meridional de Ohio promoveu um encontro entre Tutu e uma delegação liderada por Alfred Gottschalk, um expoente do Judaísmo Reformista e presidente do Instituto de Religião Judaica, mantenedor da Universidade Hebrew Union. Após ouvir que os membros da delegação estavam cada vez mais preocupados como suas opiniões, Tutu deu uma resposta de improviso, da qual os seguintes excertos foram extraídos.*

Bem, de certo modo, me perturba pensar que tal encontro seja necessário, ainda que eu creia que ele é *obviamente* necessário. Primeiro porque sempre reconhecemos a quantidade surpreendente de membros da comunidade judaica — quantidade expressiva quando em proporção ao total — na luta pela justiça em meu país. Quero aqui prestar um caloroso tributo a vocês por terem feito parte da nossa luta — do modo como vocês detalharam aqui, tanto com o envolvimento pessoal quanto com o envolvimento de suas instituições — e também por seu envolvimento no movimento pelos direitos humanos neste país, já que vários paralelos relevantes podem ser traçados. As relações entre as comunidades judaica e afro-americana, que sempre foram calorosas, hoje não são assim tão estáveis —

quero dizer, em meu entendimento da situação, tais relações estão sob risco em virtude da questão do governo de Israel.

Creio que será importante nas discussões entre nós fazer uma distinção entre o governo de Israel e o povo judeu. Isso é *muito* importante. É importante porque as ações do governo de Israel é que estão sob escrutínio no que tange à questão palestina e também na questão da relação entre o governo de Israel com o governo da África do Sul. Não é possível fazer a separação entre essas relações sem estabelecer tal distinção, que considero crucial.

Tendo dito isso, quero também dizer que aqueles que se podem chamar de nossos antepassados judaicos — se o termo não agrada, pensem em antepassados hebreus — são uma parte muito importante da minha formação. O sermão que preguei ontem se baseou quase que por completo, decerto ao menos no início, na reflexão sobre uma passagem central do primeiro livro do que também é a escritura hebraica: o relato da criação dos seres humanos à imagem de Deus. Mas não apenas isso; meu ser foi alimentado pelos ensinamentos dos profetas de Israel, a quem adotamos como *nossos* profetas. Também nos ensinamentos centrais do que chamamos de Antigo Testamento — a Lei, os Profetas e assim por diante — se basearam minhas ideias sobre a condenação à injustiça e à opressão.

Na África do Sul, tenho falado como líder religioso com esse tipo de formação. Em outras partes da África, e em outras partes do mundo, minha campanha, minha paixão, meu zelo em procurar lutar contra o mal e contra a injustiça teve essa formação como base. Quando visitei a Terra Santa no ano passado, as coisas que vi por lá não foram coisas sobre as quais vou ficar calado. Foi quando eu disse que se tivesse de ser acusado de antissemitismo por tratar de tais assuntos, paciência. E não se trata de um caso de falta de sensibilidade. Trata-se de dizer que não irei aceitar que haja governo no mundo que se proclame infalível. Se for um governo conduzido por humanos, então é um governo propenso a cometer erros e que, portanto, caso os erros aconteçam, estará sujeito a críticas.

Eu falo como negro que viveu a experiência de sofrer apenas por ser negro. Portanto, sei um pouco sobre o que significa sofrer. Meu povo conhece o sofrimento. De nada importa eu ter o cargo mais alto em nossa igreja; na terra onde nasci, não sou nada, apenas por ser negro. Então, falo com conhecimento de causa a respeito do sofrimento. Vi coisas na Terra Santa e ouvi outras tantas — coisas que já foram bem divulgadas, coisas que vocês conhecem. Evitei falar em público, mas vi coisas que me deixaram chocado. Ora, muitas coisas ruins aconteceram na África do Sul, mas não tenho conhecimento de uma situação como a que acontece nos territórios ocupados: quando uma criança é suspeita, ou, por assim dizer, é pega arremessando pedras, o lar daquela criança é demolido, ou então lacrado. Gostaria de saber se vocês, como pessoas sencientes, aprovam as medidas tomadas pelo governo de Israel.

Lá, falei sobre uma das maravilhas que acontecem em Israel. Logo depois do terrível incidente em Shatila — sim, algo que mencionamos com certo orgulho foi a mobilização de meio milhão de israelenses para protestar contra o envolvimento de Israel no incidente. Aquilo foi algo que, decerto, não teria acontecido na África do Sul, e foi algo que mencionamos para exemplificar o argumento de como entendemos que os judeus devem ser. Presumimos, por conta da peculiaridade da sua existência e da peculiaridade de quem vocês são, que, em certo sentido — e talvez alguém diga que isso é injusto — em certo sentido, há coisas que não esperamos ver. Essa demonstração era parte do que eu estava dizendo, e espero que vocês se juntem a mim na condenação do que é errado nas ações do governo de Israel, sem entender, entretanto, que, quando alguém fala sobre esse assunto, esteja demonstrando oposição ao povo judeu. Não vou negar que eu disse que basta apenas trocar os nomes e alguém poderia pensar que o que acontece lá pode ser uma descrição do que acontece na África do Sul. Falo como negro, e não estou acusando os judeus. Estou acusando o governo de Israel. Gostaria de saber se vocês de fato aprovam as coisas que acontecem lá em nome do povo de Israel.

Também quero aproveitar para dizer, como negro e sul--africano, que Israel terá de deixar claro se está do nosso lado ou não na luta que acontece na África do Sul. Israel prestou ajuda à repressão ao nosso povo por meio da colaboração com o governo sul-africano nas questões de segurança. Não vou permanecer calado em relação a esse assunto. Nem por isso estou acusando o povo judeu. Estou atacando um governo cujos membros são judeus. E não vou parar de dizer isso. Os negros da minha pátria precisam se perguntar como é possível para um governo composto por pessoas que sofreram com o nazismo cooperar com um governo formado, principalmente, por simpatizantes do nazismo e contra os negros que lutaram contra Hitler. Gostaríamos de saber que atitude vocês esperam que tenhamos em relação a tal governo.

A posição que assumo em relação à questão do Oriente Médio e à questão palestina não é baseada em uma opinião pessoal, ou, melhor dizendo, minha opinião coincide com a posição da Comunhão Anglicana. A resolução tomada na Conferência de Lambeth, em 1988, tem duas conclusões importantes: primeiro, assim como vocês, lamentamos o fato de os países árabes terem, durante muito tempo, se negado a reconhecer a existência de Israel e trabalhado para destruir aquele país. Reconhecemos o direito de Israel existir como estado soberano e independente e que tenha sua segurança garantida, bem como sua integridade territorial, além de ser reconhecido no âmbito internacional. A segunda parte da resolução pretende dar voz ao clamor dos palestinos por um estado soberano e independente. Isso não significa fingir que, em certos momentos, eles não tiveram oportunidades para fazer aquilo pelo que agora estão clamando. O que passou, passou. Agora, estamos em outro momento. E falo sério sobre a oferta de, caso Eli Wiesel assim também o deseje, na condição de contemplados com o Nobel da Paz, servir de todo modo possível para contribuir com o avanço da reconciliação nesse assunto.

10

Após o encontro, Tutu resumiu suas opiniões para os jornalistas.

O que é importante é que, onde quer que haja injustiça, possamos dizer em coro: "Sim, isso é uma injustiça", em vez de dizer apressadamente: "Porque fulano de tal critica tal aspecto, então ele é antissemita." Quero dizer, eu costumo fazer críticas contundentes à sra. Margaret Tatcher, mas não sou chamado de antibritânico por isso.[5] Em minha pátria, andamos de braços dados com rabinos quando há algum evento contra o *apartheid*, e espero que todos concordemos que aquilo que nos une é muito, muito maior do que aquilo que conspira para nos afastar.

11

Ao alívio das tensões no Oriente Médio depois que os acordos de Oslo foram assinados, em 1993, seguiu-se também uma melhoria nas re-

lações de Tutu com seus críticos israelenses e judeus por alguns anos. Logo após presidir a Comissão da Verdade e Reconciliação, foi-lhe oferecida uma recepção amigável por israelenses e palestinos quando ele visitou Tel-Aviv, em 1999 — a convite do companheiro ganhador do Prêmio Nobel Shimon Peres —, e a Cisjordânia — convidado pelo bispo anglicano local. Em Jerusalém, os pacifistas israelenses queriam ouvir, sobretudo, a respeito da reconciliação e do perdão na África do Sul. No entanto, as relações de Tutu com os defensores de Israel, particularmente nos Estados Unidos, se deterioraram após o colapso do processo de paz no Oriente Médio, a ponto de frases que ele usava para admoestar tanto líderes do apartheid *quanto o governo democraticamente eleito da África do Sul começarem a ser repetidas em seus discursos sobre o Oriente Médio. Em 2002, ele foi convidado pelos partidários norte-americanos do Centro Ecumênico de Teologia da Libertação Palestina "Sabeel" de Jerusalém, um grupo cristão palestino fundado por Naim Ateek, um dos anfitriões durante a peregrinação que Tutu fez no Natal de 1989, a discursar em um encontro na igreja Old South, em Boston. Ele começou a apresentação discordando do título sugerido para seu discurso: "Ocupação é opressão".*

Eu gostaria de poder mudar o título deste discurso para "Deem uma chance à paz, pois a paz é possível". Somos portadores da esperança para os filhos de Deus na Terra Santa, para os judeus israelenses que são filhos de Deus, para os árabes palestinos que são filhos de Deus. Queremos dizer para eles: "Nosso coração pertence a todos que sofreram com o resultado da violência dos homens-bomba, da violência das incursões militares e das represálias, e queremos expressar a mais profunda simpatia a todos os que foram afetados e desfalcados pelos horrendos acontecimentos dos tempos recentes." Queremos dizer a todos os envolvidos nos acontecimentos dos últimos dias que a paz é possível. Judeus israelenses e árabes palestinos podem viver lado a lado amistosamente em paz e em segurança — como o reverendo Naim Ateek sempre ressalta; uma paz segura, construída sob a justiça e a igualdade. Os dois povos são escolhidos e amados por Deus, ambos têm a fé remontando a um mesmo antepassado, Abraão, e ambos professam a fé no Deus criador de *Salaam* e *Shalom*.

Como cristão, dou graças a tudo que recebi a partir dos ensinamentos do povo judeu de Deus. Quando lutávamos contra o perverso regime do *apartheid*, que pregava que o que investia alguém de valor era uma irrelevância biológica — a cor da pele —, nos voltamos para a Torá judaica, que prega que o que dá ao povo infinito valor é o fato de termos sido criados à imagem de Deus. Desse modo, sob essa perspectiva, o regime do *apartheid* não foi nada bíblico, sem sombra de dúvida, foi maligno, absolutamente não cristão.

Quando nosso povo gemeu em virtude do fardo da opressão racial, invocamos o Deus que se dirigiu a Moisés no arbusto em chamas. Dissemos ao povo que Deus havia ouvido o choro deles, que ele havia enxergado toda aquela angústia, que conhecia o sofrimento das pessoas e que viria até nós — esse grande Deus do Êxodo, o Deus libertador — para nos libertar, como Deus já havia feito no passado quando libertou Israel da escravidão. Dissemos para nosso povo que Deus pendia em favor daqueles que estavam nus — dos pobres, dos fracos, dos famintos, daqueles que não tinham voz —, assim como Deus já havia feito quando interveio, por intermédio do profeta Natã, contra o rei Davi e em favor de Urias, marido de Bate-Seba. Ou quando Deus interveio, por intermédio de Elias, em favor de Nabote, contra o rei Acabe e Jezabel, por terem confiscado a vinha de Nabote e provocado sua morte.

Dissemos que esse Deus jamais nos abandonaria, pois quando fomos jogados na fornalha ardente da tribulação e do sofrimento causados pelo *apartheid*, esse Deus estaria conosco como Emanuel, "Deus conosco", assim como esse Deus estivera com Daniel e seus companheiros. Dissemos que esse Deus rejeita a adoração que não transforma a vida e a conduta do adorador, que não faz o adorador cuidar da viúva, do órfão e do estrangeiro, aqueles que, na maioria das sociedades, estão entre os mais vulneráveis e menos influentes; que esse Deus preferia a obediência ao sacrifício, a misericórdia ao sacrifício, que fazem a justiça fluir como um rio, caminhando humildemente ao lado de Deus. E dissemos que esse Deus lembrava ao povo de Deus como as pessoas haviam sido estrangeiras e escravas no Egito, uma lembrança que deveria torná-las mais forte e inspirá-las a ser, por sua vez, generosas e compassivas com os estrangeiros que estão entre elas.

Nós invocamos as escrituras judaicas que declaram ser este o mundo de Deus e que, apesar de as aparências indicarem o contrário, Deus está no comando; que este é, portanto, um universo moral. Não há meio pelo qual a força se transforme em justiça; não há meio pelo qual a injustiça, a mentira e a opressão possam ser a última palavra no universo desse Deus.

Em nossa luta contra o *apartheid*, alguns dos maiores destaques eram judeus: as muitas Helen Suzman, os Joe Slovo, os Albie Sachse.[6] Como também aconteceu neste país durante o movimento em favor dos direitos civis, os judeus, quase que por instinto, como era de se esperar — dadas sua história e tradição religiosa —, ficaram ao lado dos que foram privados de seus direitos, dos que sofreram com a discriminação, dos que não tinham voz para lutar contra a injustiça, contra a opressão e o mal. Continuei a me identificar fortemente com os judeus e com muitos outros laureados com o Prêmio Nobel. Sou membro da diretoria do Centro Peres pela Paz, sediado em Tel-Aviv. Sou patrono do centro em memória do Holocausto na Cidade do Cabo. Acredito que Israel tenha o direito de ter suas fronteiras asseguradas, de ser reconhecido internacionalmente, de ter sua integridade territorial garantida e de ter reconhecida sua soberania como país independente. Acredito que as nações árabes cometeram um terrível engano ao se recusar a reconhecer a existência soberana de Israel e de ter se empenhado em destruir aquele país. A adoção de políticas de visão limitada foi o causador do nervosismo de Israel e do consequente estado de alerta e de preparação militar para garantir a continuação de sua existência como país. Isso é compreensível. O que não é compreensível, muito menos justificável, foi o que Israel fez ao povo do outro lado para garantir sua existência.

Em todas as minhas visitas à Terra Santa fiquei absolutamente perturbado pela enorme semelhança entre o que acontecia lá e o que acontecera aos negros durante o regime do *apartheid* na África do Sul. Eu testemunhei a humilhação dos palestinos nos bloqueios rodoviários e lembrei o que costumava acontecer conosco em casa, quando jovens policiais brancos se faziam de valentes e nos intimidavam, e de como nos humilhavam quando tínhamos de passar por um corredor sofrendo com as mais imprevisíveis troças — quer eles permitissem ou não a passagem, enfim —; quando aqueles policiais pareciam extrair tanta diversão de toda aquela covardia e humilhação. Eu presenciei cenas como essa, ou ouvi falar delas, na Terra Santa. A exigência áspera e descortês por identificação dos palestinos foi uma lembrança sinistra das infames reides da lei do passe do horrendo regime do *apartheid*.[7]

Nessas visitas, nós vimos ou lemos a respeito de situações que não aconteceram nem durante o *apartheid* na África do Sul: a demolição de casas com base na suspeita de que um membro de uma família fosse um terrorista, de modo que *todos* pagavam o preço nesses atos de punição coletiva que, aparentemente, se repetem nos recentes ataques aos campos de refugiados árabes. Não sabemos a verdade exata porque os israelenses não permitem a presença da imprensa. O que estarão escondendo? Talvez ainda mais grave seja a falta de um grito contra a censura da mídia naquele país. O que agora vai acontecer é que veremos cada vez mais imagens angustiantes causadas por ataques de homens-bomba, algo que todos condenamos sem dúvida, ainda que não vejamos o que os tanques estão fazendo contra as casas de pessoas comuns.

Em uma de minhas visitas à Terra Santa, fui de carro a um culto dominical em uma igreja na companhia do bispo anglicano de Jerusalém. Tivemos de passar por Ramallah. Pude ouvir lágrimas na voz do arcebispo quando ele apontou para os assentamentos judaicos. Pensei no anseio dos israelenses por segurança e na aflição dos palestinos pela terra perdida, na ocupação que dizem que eles nada são, que não servem para nada. Toda aquela dor e as muitas humilhações que os palestinos sofrem são terreno fértil para o desespero dos homens-bomba. Eu estava andando com o reverendo Ateek, cujo pai havia sido joalheiro e, conforme andávamos, ele apontou em certa direção e disse: "Nossa casa ficava ali. Fomos expulsos do próprio lar. Agora, ele está sendo ocupado por judeus israelenses." Então, me lembrei de quantas vezes as pessoas de cor na África do Sul apontavam para seus antigos lares, dos quais haviam sido expulsas e que então foram habitados por brancos. Meu coração dói.

Pergunto: será nossa memória assim tão curta? Será que nossas irmãs e nossos irmãos judeus se esqueceram da humilhação que foi ter de usar braçadeiras amarelas com a estrela de Davi? Será que meus irmãos e irmãs judeus se esqueceram da punição coletiva? Das demolições de suas casas? Será que esqueceram a própria história assim, tão rápido? Será que viraram as costas para as tradições religiosas tão nobres e profundas? Será que esqueceram que o Deus deles, o nosso Deus, é um Deus que fica ao lado dos pobres, dos desprezados, dos humilhados? Que este é um universo moral? Que eles nunca — eles *nunca* — irão conseguir a paz e a segurança verdadeiras com um cano de revólver? Que a paz verdadeira só pode ser construída com justiça e igualdade?

Nós condenamos a violência dos homens-bomba e, se as crianças árabes são ensinadas a odiarem judeus, também condenamos a corrupção das mentes jovens. Porém, sem sombra de dúvida, condenamos igualmente a violência das incursões militares e a retaliação que impede que ambulâncias e ajuda médica cheguem aos atingidos; essa é a causa de toda essa represália que não tem paralelos, que é totalmente desprovida de equilíbrio, mesmo em face da lei da Torá, que pede um olho por um olho — lei que foi criada para, na verdade, restringir a vingança àquele que a cometeu, ou, talvez, àqueles que o apoiaram. A humilhação e o desespero de um povo que sofre com a ocupação e com a miséria é que formam a raiz desses ataques suicidas. A ação militar dos últimos dias — quero fazer uma previsão quase absoluta — não irá servir para alcançar a segurança e a paz que os israelenses desejam. Tudo que tais ações fazem é intensificar o ódio e o ressentimento, garantindo que, um dia, um terrorista suicida irá surgir para clamar por vingança.

Israel tem três opções: retornar ao impasse recente, que transbordava de tensão, ódio e violência; perpetuar o genocídio e exterminar os palestinos; ou, como espero que escolham, lutar pela paz embasada na justiça, por sua vez, baseada na retirada de todos os territórios ocupados. Mas os palestinos também precisam se comprometer, precisam dizer em alto e bom som, em toda e qualquer oportunidade, que também estão comprometidos em alcançar a paz. Na África do Sul, vivemos uma situação em que todos pensavam que seríamos exterminados em um banho de sangue. Isso nunca aconteceu. Conseguimos fazer uma transição relativamente pacífica. Em vez de vingança e retaliação, experimentamos o maravilhoso processo do perdão e da reconciliação com a Comissão da Verdade e Reconciliação. Se a nossa loucura, se o nosso problema incurável conseguiu ter o fim que teve, então acreditamos ser possível que o mesmo aconteça em qualquer parte do mundo. Pois a África do Sul é, sim, apesar de candidato improvável, um farol de esperança, um farol de esperança para o resto do mundo. Se aconteceu na África do Sul, então pode acontecer em qualquer lugar. Se a paz chegou à África do Sul, certamente poderá chegar à Terra Santa.

Às vezes as pessoas perguntam: "Isso significa que você é pró-Palestina?" Meu irmão Naim Ateek responde o que costumamos responder: eu não sou a favor deste ou daquele povo; sou pró-justiça. Sou pró-liberdade. Sou contra a injustiça, contra a opressão em todo e qualquer lugar que ela aconteça. Mas vocês bem sabem, como eu, que o governo de Israel está em cima de um pedestal, e que criticá-lo significa ser imediatamente tachado de antissemita — como se os palestinos não fossem semitas. Pois eu não fui nem antibrancos, a despeito de todo sofrimento que aquele grupo ensandecido infligiu ao nosso povo. Não! Como é que eu poderia ser — se não fui contra nem mesmo aqueles que fizeram o que fizeram conosco — contra os judeus? Pois este é, na verdade, o termo que deveria ser usado: você é antijudeu? Não antissemita. O mesmo precisaria ser dito, então, dos profetas bíblicos, pois eles estiveram entre os críticos mais mordazes dos líderes judaicos de sua época. Não criticamos o *povo* judeu. Criticamos, e iremos criticar, quando assim for necessário, o *governo* de Israel.

Neste país, as pessoas têm medo de dizer que o que é errado é errado. Isso porque a influência judaica é poderosa, muito poderosa. E daí? E daí! Este é o mundo de Deus! Em nome da bondade, este é o mundo de Deus! O governo do *apartheid* era muito poderoso, mas dissemos a ele: "Cuidado!" Se você insultar as leis deste universo, vai acabar comendo poeira! Hitler era poderoso. Mussolini era poderoso. Stalin era poderoso. Idi Amin era poderoso. Pinochet era poderoso. O governo do *apartheid* era poderoso. Milošević era poderoso.

Mas este mundo é de Deus. A mentira, a injustiça, a opressão — nada disso jamais prevalecerá neste mundo de Deus. É isso o que dissemos para o nosso povo. Também costumávamos dizer: "Esses aí, eles já perderam." Pode até ser que não estejamos mais aqui. Mas um governo injusto em Israel, por mais poderoso que seja, irá tombar neste mundo de Deus. Não desejamos que isso aconteça, mas os poderosos têm de se lembrar do teste que Deus aplica a eles: qual é o tratamento que você dispensa ao pobre, ao faminto? Que tratamento dispensa ao vulnerável, ao que não tem voz? É com base em tal teste que Deus faz seu julgamento.

Precisamos fazer soar o clarim. Vamos fazer soar o clarim para o governo do povo de Israel, vamos fazer soar o clarim para o povo palestino, dizendo: "A paz é possível!" A paz baseada na justiça é possível! Estamos nos reunindo hoje, e vamos continuar em frente, fazendo este apelo, em nome de vocês, judeus israelenses; em nome de vocês, árabes palestinos. A paz é possível e faremos tudo para ajudar vocês a chegar nessa paz, que está ao alcance de ambos, pois é o sonho de Deus que vocês possam viver amistosamente como irmãos e irmãs, lado a lado, pois vocês pertencem à família de Deus. Paz! Paz! Paz!

O jornal norte-americano The Boston Globe noticiou mais tarde que líderes judeus reagiram fortemente aos comentários de Tutu. "É trágico que uma pessoa com suas credenciais morais as sacrifique com um palavrório tão feio", escreveu o jornal, citando o que foi dito por Rob Leikind, diretor da filial da Nova Inglaterra da Liga Antidifamação. "Israel está em uma simples luta pela sobrevivência. É sempre um dia triste para todos nós quando as pessoas se ocupam com esse tipo de hipérbole."

Terceira parte

•

A voz dos sem-voz na África do Sul

Capítulo 10

Por que negra?

Uma defesa da teologia negra

Uma década antes de o ministério de Desmond Tutu assumir dimensões internacionais e 20 anos antes de se tornar conhecido como apóstolo da tolerância e do perdão, foram seus ataques ao apartheid *que primeiro ganharam renome. Um exemplo precoce de paixão e franqueza — até mesmo de abrasividade, como Tutu reconheceu —, pelos quais se tornaria conhecido mais tarde, pode ser encontrado em um trabalho sobre a teologia negra que ele escreveu para uma conferência sobre a África Austral ocorrida na Grã-Bretanha, em 1973. Tutu cresceu em uma família e em uma comunidade comprometidas com o ideal de uma sociedade na qual a raça não determinaria o tipo de organização dessa sociedade. Tal compromisso foi reforçado por uma temporada em Londres, em meados da década de 1960, quando estudou teologia no King's College. Todavia, quando voltou para casa a fim de lecionar na faculdade de teologia da África do Sul, Tutu tomou ciência de um novo fenômeno dentre os estudantes: o movimento da consciência negra, que logo se espalharia, e por meio do qual jovens intelectuais, como o estudante de medicina Steve Biko, tentavam revolucionar a sociedade negra. Embora o movimento não repudiasse o objetivo de uma sociedade não racial, ele sustentava, como consequência de gerações de discriminação educacional e outras segregações, que os negros sul-africanos sofriam com a desvantagem ao concorrer com os brancos, algo que continuaria a acontecer até que os negros se retirassem das organizações multirraciais e desenvolvessem uma autoconfiança e uma base de afirmação para poderem concorrer com os brancos em pé de igualdade. Em seu trabalho de 1973, Tutu rejeitava e considerava como irrelevante, para ele e para as pessoas a quem ministrava, o movimento "Deus está morto" que varrera instituições teológicas ocidentais em fins da década de 1960, afirmando com orgulho sua identidade negra e integrando a seus pensamentos os princípios da consciência negra. Ao mesmo tempo, com esse argumento pode ser percebido seu compromisso fundamental com a visão de uma humanidade partilhada, atenta para a possibilidade de o oprimido ter a mesma inclinação ao pecado que o opressor e à convicção de que a libertação do negro está intrincadamente associada à do branco. (Pode-se notar, também, nesses primeiros trabalhos, a linguagem machista à qual Tutu se refere no prefácio, e que em boa parte foi mantida sem alterações.)*

Um estranho fenômeno surgiu recentemente no cenário intelectual e tem causado certa consternação, por um lado, e interesses entre aqueles que se dignaram a notar tal surgimento. Boa parte do Ocidente, no entanto, preferiu apenas ignorá-lo. O estranho fenômeno a que me refiro é a teologia negra. Alguns dos que a ignoraram tentam parecer razoáveis, perguntando: "Como pode haver uma teologia negra? Isso é tão absurdo quanto falar em uma física, química ou matemática branca ou europeia!"

Tais perguntas retóricas não são tão devastadoras quanto pretendem seus formuladores. Decerto parece estranho atribuir epítetos raciais ou étnicos a aspectos da empreitada humana, tais como a ciência. Mas não é nada incomum divisar características nacionais ou raciais em outras atividades humanas para descrevê-las adequadamente. Não é considerado estranho, por exemplo, falar em arte, música ou filosofia britânica, alemã ou europeia. Não é incomum haver referências à teologia alemã ou norte-americana. Então, por que é que, *a priori*, se deveria considerar estranho falar em teologia negra? É mais do que plausível suspeitar de que quem reage negativamente ou com arrogância disfarçada à menção do termo "teologia negra" já se convenceu de que não há possibilidade de existência de algo assim, ilógico. Como já foi muito bem dito, quando alguém pergunta "o que é a teologia negra?", essa pessoa está, na verdade, perguntando "será que a teologia negra é, afinal, teologia?" Vou tentar responder a essa pergunta mais tarde.

Por ora, vamos tratar da pergunta: "Por que *negra*?" A maioria das reações à negritude é negativa. Tal fenômeno se deve, em grande medida, à linguagem. Quando alguém usa de um humor perverso, então lança mão do humor negro; à exceção negativa dá-se o nome de ovelha negra. Na maior parte da arte sacra cristã, os anjos bons são brancos, enquanto o diabo e seus anjos são negros. O negro costuma estar associado à morte; o branco, à pureza e à vida. Isso acontece mesmo em alguns usos linguísticos na África. O povo motswana, quando quer desejar boa viagem, diz, em sua língua: "Que a estrada seja branca." O problema com esses costumes e reações culturais é a facilidade com que ajudam a condicionar os seres humanos. Tudo começa como uma inocente característica humana, mas logo descamba, como é visível no exemplo anteriormente citado, para a difamação das coisas e das pessoas negras. Quando isso acontece por um longo tempo, não tarda até que um indivíduo negro comece a se perguntar se não é mesmo do jeito como é descrito. Esse indivíduo começa, no fundo, a questionar a própria humanidade. Essa situação soa um tanto melodramática. Pois eu bem gostaria que fosse. Infelizmente, trata-se de um processo real.

O ponto é que, nós, negros, muito somos definidos com termos dos homens brancos: somos *não* brancos, *não* europeus — termos negativos. A linguagem tem uma importante relação com a realidade. De tanto sermos considerados ou chamados de "não isso" ou "não aquilo", acabamos sendo tratados como não entidades. Talvez isso seja um pouco demais. Bem, acabamos sendo tratados como humanos, mas não tão humanos quanto o homem branco, ou, o que dá quase no mesmo, somos tratados como pessoas inferiores, que não estão no mesmo nível daqueles que se dignam a notar a nossa existência. Ainda mais sério que isso é que começamos a considerar a nós mesmos segundo o que é dito por esse senso comum.

Mas agora adotamos o termo "negro" deliberadamente para nos descrever de maneira positiva. Trata-se de uma afirmação da pessoalidade, de garantir o direito à identidade, sem passar por cima ou ir contra outra pessoa. Estamos declarando para nós mesmos ou para qualquer pessoa que se digne a ouvir que somos, fundamentalmente, sujeitos, não objetos; somos pessoas, não coisas. Cada um de nós é um "eu", não um "isso". Tal afirmação precisa ser repetida tantas vezes quanto for necessário para fazer uma "deslavagem" cerebral, até que acreditemos no que estamos dizendo e até que possamos agir acreditando na nossa dignidade e na nossa humanidade.

O problema é que o branco buscou até agora, talvez de maneira inconsciente, porém efetiva, classificar a nossa existência. Foi o branco que, por assim dizer, traçou a agenda da nossa vida. Até este momento, estivemos participando de um jogo cujas regras foram determinadas pelos brancos; um jogo em que o branco também foi, em grande parte, o árbitro. Portanto, estamos usando o termo "negro" como epíteto aqui porque somos negros: porque cada um de nós é uma pessoa. Nós somos importantes, estamos mais vivos do que nunca, e o negro é belo.

A teologia negra é teologia?

O homem branco acredita, com certa arrogância, que os padrões que estabelece para si têm validade universal. Esse é um fato que não costuma ser dito com muitas palavras. Não, trata-se de um fenômeno considerado como parte da natureza das coisas, algo óbvio demais para ser verbalizado. Como se fosse natural. Aqui se incluem a reflexão e a expressão teológica. Pode ser que recebamos uma chuva de negativas em relação a essa acusação, mas não deixa de ser verdade que os poderes políticos e econômicos têm dado ao branco um impulso considerável na direção do neocolonialismo cultural e intelectual, mesmo nos lugares em que a descolonização política já ocorreu.

De modo geral, o Ocidente estabelece o que é válido, como, por exemplo, quando estabelece que sua educação é a excelência acadêmica que o resto do mundo deve seguir. O mesmo ocorre na teologia. A teologia negra é um repúdio a essa arrogância ocidental. A teologia negra trata com propriedade de um aspecto praticamente ignorado pela teologia anglo-saxônica: jamais existirá uma teologia final, última, pois a teologia muda de acordo com a mudança nos ingredientes de sua mistura — as experiências de vida de uma comunidade particular, a compreensão que ela tem de si mesma, suas maneiras e formas de expressão. A teologia anglo-saxônica tende a proclamar uma universalidade que jamais conseguirá ter. Isso acontece porque a teologia é uma tentativa de compreender as experiências de vida de uma comunidade cristã particular, comunidade que é condicionada pelo tempo e pelo espaço, e que trata de relacionar tudo isso com o que Deus fez, está fazendo e fará — sendo Jesus o ponto de referência fundamental.

Toda teologia deve levar os fenômenos de sua particularidade a sério. É aí que residem sua força e suas limitações. A teologia se baseia em determinado contexto e fala sobre determinado contexto. Desse modo, pode-se dizer que a teologia é contextual e existencial. O problema é que a teologia que nós, negros, aprendemos nas instituições teológicas tenta falar sobre as condições dos brancos e usar os termos dos brancos. Estou disposto a admitir que todo o esforço empregado na discussão das preocupações eruditas da teologia filosófica linguística, ou a teologia da "morte de Deus", está voltado para lidar com questões de vital importância que assolam o homem branco comum. Essa é a preocupação legítima da teologia branca — "branca" porque assim o é e foi, por mais que seus divulgadores usem de veemência para negá-la. Na verdade, caso tais pessoas estivessem certas em dizer que a teologia que pregam não é branca, então não deveriam se ocupar com a teologia cristã, já que não estariam fazendo o que lhes cabe, que é espelhar a experiência de uma comunidade em particular à luz da revelação cristã.

O ponto que estou me dando o trabalho de elaborar é que os cristãos não apreendem os mistérios da fé da mesma maneira e cada um expressa sua compreensão de maneira diversa. Por conseguinte, haverá diferentes teologias, encerradas pelas limitações e distorções de suas particularidades. A boa teologia deve reconhecer a obsolescência que lhe é inata. Deus fala conosco do jeito que somos, nossa teologia é filtrada por quem nós somos.

A teologia negra é uma teologia engajada, não uma teologia acadêmica e distante. É uma teologia visceral, baseada nas preocupações reais, nos assuntos vitais para o negro. Se a constituição do homem branco é tal que ele acha verdadeiramente difícil compreender o significado de frases aparentemente diretas, como "Deus ama você", então talvez se justifique a preocupação da teologia branca com Wittgenstein — com seu princípio da verificação e tudo o mais. A teologia negra se envolve em tais jogos filosóficos e semânticos apenas em nível mental, desfrutando a euforia de ser capaz de desempenhar com destreza esse tipo de ginástica intelectual. Mas não é isso que toca o coração da experiência negra.

A teologia negra procura fazer sentido a partir das experiências de vida do negro, que consiste basicamente do sofrimento nas mãos do racismo branco, e procura compreender tal situação à luz do que Deus disse sobre si mesmo, sobre o homem e sobre o mundo com a Palavra definitiva. A teologia negra investiga se é possível ser negro e continuar cristão; ela trata de se perguntar de que lado está Deus; trata de se preocupar com a humanização das pessoas, porque aqueles que roubam a nossa humanidade desumanizam-se a si mesmos; ela se preocupa com a libertação de todos, negros e brancos, já que a libertação do negro é apenas o outro lado da moeda da libertação do branco. Ela é um chamado para que o homem se alinhe com o Deus, que é o Deus do Êxodo, o Deus libertador, que liberta seu povo, todo o seu povo, de todo tipo de escravidão — política, econômica, cultural —; liberta o povo da escravidão da doença e do pecado, conduzindo para a gloriosa libertação dos filhos de Deus.

Quando praticamos a teologia negra, deixamos de usar o termo "negro" com mero epíteto étnico. Ele se refere a todos os que são oprimidos de alguma maneira e que estão dispostos a se apropriar das inspirações da teologia negra à medida que ela se faz relevante em uma situação de vida particular. A teologia negra, portanto, é a teologia do oprimido e, nesse sentido, é uma teologia de libertação. Ela busca desnudar à vista de todos que a ação divina é, em última instância, uma só: Deus liberta seu povo e o convida para entrar na Terra Prometida *nesta* vida, não apenas em algum futuro vago e celestial. Ela clama que Deus está sempre trabalhando para perturbar o atual estado das coisas.

O futuro da humanidade não está determinado. Ele está aberto para a surpresa divina, que subverte as estruturas desumanizadoras que fazem dos filhos de Deus menos do que devem ser.

Mas então a teologia negra proclama a universalidade que tão prontamente condenou nas demais formas teológicas? Não, ela não busca impor sua forma, suas inspirações, suas libertações a ninguém. Ao contrário, a teologia negra celebra com alegria toda a sua particularidade, pois só assim pode cumprir com os objetivos a que foi destinada. Ela não tem ilusões quanto à sua limitação, que, por definição, é inerente à própria natureza. Ela não deseja canonizar seu paroquialismo; não é possível negar sua particularidade e permanecer íntegra.

É isso que entendemos por teologia negra, uma teologia que está preocupada em reconciliar a experiência da opressão dos negros com o que negros cristãos aceitam como natureza e ação de Deus como revelado em Nosso Senhor e Salvador. Em um sentido bastante literal, Jesus Cristo não foi todos os homens. Para ser todos os homens de verdade, ele teria de ser um homem específico, nascido de uma mulher específica, em um momento específico, em um lugar específico. Só assim ele poderia ser universalizado, ainda que com o cuidado considerável de lembrar que algumas das coisas que ele fez e disse eram relativas e que muito dano já foi causado à empreitada cristã na tentativa de transformar o que é relativo em absoluto. O *kenosis* (esvaziamento) divino teve de ocorrer para que a encarnação fosse verdadeiramente Deus se tornando homem. Deus sempre deixou espaço para ser mal compreendido.

Para nós é uma questão de vida ou morte, no sentido joanino, a necessidade de se engajar com seriedade na teologia negra. Nossa existência como cristãos está em risco. Precisamos ver que Deus é, como as Escrituras afirmam que ele é, o Deus do *Magnificat*, que alimenta o faminto de boas coisas, que manda o rico embora com as mãos vazias; precisamos ver que ele é de fato o Deus que nos enviou seu Filho e que continua enviando filhos "para levar boas notícias aos pobres, para cuidar dos que estão com o coração quebrantado, anunciar liberdade aos cativos e libertação das trevas aos prisioneiros, [...] para consolar todos os que andam tristes, e dar a todos os que choram em Sião uma bela coroa em vez de cinzas, o óleo da alegria em vez de pranto, e um manto de louvor em vez de espírito deprimido" (Lucas 1:46-55; Isaías 61:1-3, NVI, adaptada).

Para nós, a teologia é uma questão existencial. Não permitiremos as investidas daqueles que tentam nos empacar ao sugerir todo um escrutínio acerca da legitimidade da nossa empreitada. Francamente, foi-se o tempo em que esperaríamos pelo homem branco para conseguir a permissão de fazer o que desejamos. Queira o branco aceitar ou não a respeitabilidade intelectual das nossas ações é, para nós, algo totalmente irrelevante. Vamos seguir em frente, independentemente de qualquer coisa. Isso não significa dizer que não daremos voz à autocrítica. Não, a questão em pauta é demasiado séria para ser tratada com presunção ou sem qualquer preocupação. Temos plena consciência de que a resposta que a teologia negra pode dar não passará de paliativo caso sofra com a fraqueza de alguma contradição interna. A teologia negra deve seguir o rastro a que ela leva e encarar problemas e questões de maneira justa, sem inventar quaisquer soluções. Mas nos recusamos a aceitar que nos digam quais objetivos devemos perseguir, ou sob que maneiras devemos expressar os resultados das nossas reflexões teológicas. Nós também merecemos a confiança de que compreendemos as verdades cristãs e de que aquilo que a teologia negra prega deve, em última análise, ser consistente com as pregações das Escrituras, com o que discernimos de Deus em face de Jesus Cristo.

Mas a teologia negra deve falar em sua linguagem com aqueles com quem prioritariamente se preocupa: os negros. Talvez essa linguagem choque as pessoas por ser destemperada, não escolástica, bizarra — como dizer, por exemplo, que "Jesus é negro". O termo "negro" tem uma gama rica e emotiva de significados. Não podemos ser repreendidos por uma incompreensão arrogante do significado superficial das nossas declarações teológicas. Não podemos ser impedidos de fazer o que devemos fazer. Não se trata de uma súplica por aceitação, nem de uma tentativa de demonstrar a respeitabilidade acadêmica da teologia negra. Não, trata-se apenas de uma afirmação direta, talvez até estridente, sobre algo que já existe. A teologia negra *existe*. Ela não está pedindo permissão para vir a existir. Talvez um dia ela receba algo como a atenção dispensada ao pentecostalismo, que hoje se tornou respeitável depois de alcançar grande quantidade de ocidentais e que tem sido um fenômeno religioso em diversos lugares por décadas, como, por exemplo, na África.

Desdobramentos da teologia negra

A teologia negra incidentalmente desafia outras teologias a ser cada vez mais bíblicas. Ela afirma que toda teologia deve ser engajada, que toda teologia deve lidar com os assuntos vitais da comunidade cristã cujas experiências são parte integral e autêntica da formação de tal teologia. Quando examinamos a Bíblia, percebemos que grande parte da teologia ali contida, em especial no Novo Testamento, existe como se fora forjada no coração da batalha, quase que no próprio campo de batalha. Ela é ocasional no sentido técnico de ter sido ocasionada por um conjunto específico de circunstâncias e de tentar ser relevante para tais circunstâncias. Ela tenta responder às questões urgentes que surgem de tais circunstâncias, tenta suavizar a dor e a angústia de viver em tais circunstâncias; a teologia ali presente tenta incorporar o conhecimento advindo da tentativa humana de compreender os aspectos da humanidade e do universo que habitamos e tenta fazer uma assimilação tão coerente quanto possível, de modo que os membros daquela comunidade possam viver com razoável medida de integridade. Grande parte do Novo Testamento foi escrita visando lidar com situações de profunda perplexidade e até de angústia. Será que você é mesmo cristão se não for circuncidado, ou será que está do lado de fora? Será que um judeu cristão deve se fraternizar com um cristão gentio? A ressurreição ocorreu ou não? Se o Antigo Testamento fornece todas essas profecias sobre Jesus Cristo, como é que os judeus não conseguiram reconhecê-lo? Quando se tornou cristão, o judeu não teve de abandonar algo que era muito superior à nova fé que ele agora aceita? Se Deus é o verdadeiro Senhor de tudo e Cristo subjugou todos os inimigos, então por que o arqui-inimigo dos cristãos é tão poderoso, e por que os cristãos sofrem tanto — será que Deus está inativo, será que é indiferente, talvez impotente?

A teologia negra está tentando fazer para uma parte significativa do Cristianismo exatamente o que os autores bíblicos fizeram pelas comunidades às quais se dirigiam. Como as circunstâncias variavam, as teologias então produzidas e registradas na Bíblia são, por si mesmas, bastante diversas. Em razão das particularidades, as teologias ali presentes demonstram, necessariamente, uma rica diversidade. Quem é que poderia sustentar com seriedade o argumento de que o Novo Testamento poderia ser muito melhorado se os quatro evangelhos fossem completamente homogeneizados em um só relato? Ou que os livros de Jó e Rute não são um contraponto necessário a Esdras e Neemias? Ou que, em sua inteireza, a Bíblia é uma maravilha ainda maior por trazer as profecias lado a lado com o apocalipse, cada gênero com sua teologia particular? Arriscamos perder uma esplêndida diversidade ao depreciar a existência das variadas teologias apenas pelo desejo de ver uma universalidade e uma unidade prematuras. A unidade bíblica advém não da uniformidade de estilos ou de conhecimentos, mas de estar centrada nas ações de Deus na história humana, no registro de tais ações e na compreensão, na distorção e na resposta humana a tais ações.

Outro nível em que a teologia negra desafia outras teologias a ser ainda mais bíblicas consiste da preocupação com a totalidade da pessoa. A Bíblia, assim como o melhor do Cristianismo, é materialista, no sentido adequado da palavra. Os profetas demonstravam uma inabilidade aparentemente teimosa de separar a feira ou o portão do prédio judicial do templo e do santuário. Muitos dos cristãos de hoje, sobretudo aqueles que desfrutam posições de grande riqueza ou de poder político, parecem obtusos diante da importância da fé em relação às condições políticas, econômicas e sociais. O Cristianismo acabará perdendo qualquer credibilidade que ainda tenha se for visto ao lado de forças políticas e econômicas que alimentam um regime de injustiça. Pode haver alguns dentre os oprimidos que usam o Cristianismo como válvula de escape da dureza da realidade, mas é cada vez maior a quantidade de pessoas para quem a desilusão corrói a fé. Fazer falsas promessas para depois da morte é um insulto para Deus.

A teologia negra é um desafio para a chamada teologia africana. Por muito tempo a teologia africana se preocupou em mostrar que a África tem uma herança religiosa autêntica, em servir como ponte entre a consciência africana e o Cristianismo. Mas esse não pode ser o objetivo final da teologia africana. Ela deve começar a tratar a si mesma com mais seriedade e em assuntos que dizem respeito aos africanos de hoje. Ela deve enfrentar os enormes problemas que surgiram na esteira da independência política. Ela deve ter algo a dizer a respeito da teologia do poder, do subdesenvolvimento, dos golpes de estado, do elitismo. Ela precisa se preocupar com a intransigência da natureza humana. A teologia negra não é inocente a ponto de acreditar que a opressão branca é o único tipo de escravidão do qual os negros precisam se libertar. O pecado e o mal são tão desumanizadores quanto o racismo branco; quando o opressor branco é removido da África, muito acontece de ele ser sucedido por sua contraparte negra. A teologia africana ainda não produziu nada relevante nesse e em outros assuntos contemporâneos. Para que isso comece a acontecer é necessário aceitar o desafio da teologia negra.

Em suma, então, a teologia negra está preocupada com a totalidade do negro, com ajudá-lo a fazer as pazes com a própria existência, com falar a respeito de sua condição específica e com ajudá-lo a afirmar sua pessoalidade e a adentrar sua herança inalienável como filho de Deus e herdeiro do Reino dos céus. Ela busca ajudar o negro a se tornar cada vez mais aquilo que Deus planejou: uma pessoa humana liberta de todo tipo de escravidão que rouba sua humanidade. É por isso, afinal, que veio Cristo: "Eu vim para que tenham vida, e a tenham plenamente" (João 10:10).

Capítulo II

Estou aqui diante de vocês

Por que os cristãos precisam estar envolvidos na política

Inicialmente, Desmond Tutu foi impelido à esfera pública ao ser escolhido, em sucessão rápida, como o primeiro deão negro de Joanesburgo (em 1975); como bispo anglicano de Lesoto, estado vizinho (em 1976); e depois como secretário-geral do Conselho das Igrejas da África do Sul (em 1978). Em uma época em que as forças principais da luta contra o apartheid *tinham passado à clandestinidade ou ao exílio, e seus líderes presos, os púlpitos das igrejas serviram de plataformas públicas de onde os negros sul-africanos podiam falar livremente, e os encontros dos órgãos dirigentes dessas igrejas se transformaram em um dos poucos fóruns em que negros e brancos podiam debater com relativa igualdade. Desde o início da vida pública, Tutu sobressaiu pela defesa inflexível das aspirações dos negros sul-africanos, desimpedidos por eufemismo, desafiadores diante do aparato de uma polícia estatal, mas ao mesmo tempo sensíveis às inquietações de seus líderes religiosos e companheiros brancos. Na época em que o prisioneiro Nelson Mandela e o amigo e antigo parceiro de advocacia de Mandela, Oliver Tambo — o líder exilado do Congresso Nacional Africano (ANC) —, foram demonizados pelo governo do* apartheid *como terroristas, Tutu esteve entre a diminuta minoria de vozes dispostas a defender seus ideais, pública, ousada e apaixonadamente, para plateias tanto negras quanto brancas.*

1

Este discurso foi preparado para uma plateia branca em fins de 1978, dois anos após o marco nacional da rebelião jovem deflagrada pelos estudantes de Soweto.

Estou aqui diante de vocês como alguém que se professa cristão. Esse é o ponto de partida para tudo que sou; é a inspiração para tudo que digo e faço. Como cristão, portanto, eu coloco, como aquele que tem a minha absoluta lealdade e ocupando o primeiro lugar na minha vida, o louvor e os serviços de Deus. Quero enfatizar que a minha prioridade é glorificar e louvar a Deus. Devo ter um relacionamento autêntico em primeiro lugar com Deus pela oração, pela leitura da Bíblia, pela meditação e usando os sacramentos da igreja. Portanto, eu coloco o sagrado como tendo uma importância prioritária em minha vida. Essa é a chamada dimensão vertical da vida humana, esse relacionamento com Deus.

Mas isso não é o fim — não poderia ser o fim. A autenticidade desse relacionamento vertical, desse relacionamento espiritual com Deus, se expressa para mim e é testada por meio do meu relacionamento com o próximo. Essa é a chamada dimensão horizontal. A vertical e a horizontal devem andar juntas. Nosso Senhor e Mestre Jesus Cristo disse: "'Ame o Senhor, o seu Deus de todo o seu coração, de toda a sua alma e de todo o seu entendimento'. Este é o primeiro e maior mandamento. E o segundo é semelhante a ele: 'Ame o seu próximo como a si mesmo'" (Mateus 22:37-39, NVI). Para Jesus, o amor de Deus era inconcebível e não podia existir sem o corolário do amor pelo próximo. Um dos evangelistas resume o ensinamento da Bíblia nessa questão ao perguntar: "Como você pode dizer que ama a Deus, a quem não vê, se odeia o irmão que está vendo?" (1João 4:20).

O que estou dizendo é que não sou um político. Não são as minhas ações políticas que me fazem estar envolvido na arena sociopolítica. Não. É a minha crença cristã. É porque também penso que tive um encontro com Jesus Cristo em oração, na leitura da Bíblia, e é precisamente esse encontro que me impele a dizer e fazer as coisas que digo e faço. É em obediência ao imperativo do Evangelho de Jesus Cristo, ao mandamento de Deus e aos ensinamentos da Bíblia que estou envolvido em assuntos sociopolíticos e econômicos. E por isso eu não me desculpo de modo algum. Rejeito todas as falsas dicotomias como as entre o sagrado e o secular sobre coisas que são chamadas religiosas e outras que são meramente seculares. Para mim, a religião diz repeito a tudo da vida, e não só a certos aspectos dela. O Deus a quem oro é o Senhor de toda a vida. Não há aspecto da existência humana que seu decreto não governe.

Em uma parábola sobre o Juízo Final, Jesus Cristo ensina que seremos julgados como aptos ao céu ou ao inferno por certas coisas que fizemos ou não fizemos. É interessante que todas essas coisas não possam ser chamadas estritamente de religiosas: alimentar o faminto, visitar o doente, vestir o desnudo, visitar prisioneiros na cadeia.

Não estou reclamando o direito a uma infalibilidade que o ser humano não pode ter com justiça e, portanto, admito que posso estar errado. Mas devo dizer categoricamente que tão logo perceba que em certa situação as exigências do Evangelho de Jesus Cristo sejam tais e tais, então não posso agir de outra maneira; e, por conseguinte, é em obediência ao evangelho que entendo ser a vontade de Deus que farei e direi o que eu achar que precisa ser dito ou feito. Não busco confrontação com as autoridades, mas, uma vez que tenha resolvido, não vou ficar a toda hora olhando para trás a fim de ver se tenho ou não a aprovação das autoridades ou dos demais companheiros cristãos que podem pensar de maneira diferente e que talvez sejam mais poderosos. Prefiro muito mais obedecer a Deus que aos homens.

Desejo que nosso apelo, nosso *cri de coeur*, seja ouvido pelo governo e pelos demais companheiros brancos sul-africanos. O que falo vem de um amor profundo pelo meu país amado e de uma preocupação por meus conterrâneos brancos. Digo: por favor, vamos nos sentar juntos, negros e brancos, todos os líderes autênticos e reconhecidos dos diversos setores da nossa comunidade — digo "reconhecidos" e não líderes impostos a nós —, vamos debater juntos antes que a causa da mudança razoavelmente pacífica esteja perdida de modo irreparável. O ex-primeiro-ministro sul-africano, o sr. B. J. Vorster, aconselhou com razão o sr. Ian Smith[1] a iniciar um diálogo com os líderes negros, a libertar os que foram presos e a tentar modelar um entendimento negociado. O Sr. Vorster sugeriu às pessoas da Namíbia sentar ao redor de uma mesa de reuniões, conversar e buscar juntas um entendimento justo naquele território. Por que ele acha que essa maneira de lidar com as coisas seria só um produto de exportação? Por que não deveríamos fazer isso também aqui em casa, enquanto ainda houver uma possibilidade remota de resolvermos, todos nós, negros e brancos, juntos, o tipo de futuro que queremos para a nossa terra: preparar um projeto de uma sociedade mais aberta, mais justa, mais equitativa, na qual as pessoas contam porque são seres humanos criados à imagem de Deus, e não por causa de acidentes biológicos e históricos, por causa da quantidade de melanina que trazem na pele?

Vocês sabem que todos os nossos líderes negros mais destacados de todos os tempos declararam que não querer conduzir os brancos até o mar, porque nós pertencemos, juntos, negros e brancos, à mãe África do Sul, e todos eles estenderam a mão da irmandade na direção dos brancos. Por muito tempo receberam em troca nada além de crítica após crítica. O milagre da África do Sul é que os negros ainda dialogam com os brancos após o que nos aconteceu há mais de três séculos, um tratamento medonho que se tornou pior com a introdução formal do *apartheid*, em 1948. Falem conosco e parem de falar de nós.

Preciso fazer uma advertência da maneira mais sensata e responsável que eu puder. Se o presente estado de coisas continuar nesta terra, então, tão certo quanto o dia vem depois da noite, teremos um banho de sangue neste belo país. Por favor, não pode haver segurança verdadeira e duradoura para os brancos da África do Sul enquanto a grande maioria dos habitantes deste país não for livre. Os brancos não podem ter segurança verdadeira e duradoura com base no poder militar e policial enquanto a grande maioria dos cidadãos sul-africanos vir os bons recursos naturais da terra onde nasceram serem distribuídos de modo tão injusto. Não pode haver liberdade verdadeira para os brancos nesta terra até que os negros sejam livres, pois os brancos precisam despender recursos enormes na tentativa de salvaguardar sua liberdade à parte; e liberdade, meus amigos, é indivisível.

Como cristão, acredito que Deus se preocupe com a justiça, com a equidade, com o que é certo e errado, com a exploração, com a opressão. E sei que o estilo de vida na África do Sul, o presente ordenamento da sociedade, é injusto e imoral. É opressivo e mau. Se os brancos não pensam assim, conseguiriam, por favor, mudar de lugar com os negros por alguns dias? Deixem que eles saiam de suas casas elegantes e venham ficar em Soweto, usando os meios de transporte inadequados; deixem que passem pelo corredor dos bloqueios policiais; deixem que eles sejam o objeto das leis multifacetadas que aplicam aos negros só por alguns dias para ver se não concordam que esse sistema é mau, é injusto e imoral e, por essa razão, fadado ao fracasso. Porque Deus o vê como odioso. Não se iludam. É um sistema não cristão, abominável para a consciência cristã do resto do mundo, e vai entrar em colapso como todos os outros sistemas imorais antes dele — sistemas que apareceram para arrastar todos que estiverem diante deles.

Vocês, meus irmãos brancos, precisam saber que estão sendo convidados a apoiar um sistema que é totalmente indefensável. Abandonem-no antes que seja tarde demais. Vocês, meus irmãos brancos, precisam saber que uma vez que o povo tenha resolvido que será livre, então nada, absolutamente nada neste mundo irá-lo impedi-lo de atingir o objetivo da autoafirmação — nem o poder militar e policial do mundo todo. Em tempos recentes, o Vietnã mostrou isso. As ex-colônias portuguesas também têm mostrado. Mas muito, muito mais perto, os africâneres são uma prova viva disso em sua história. Por que eles acham que nós, negros, seremos exceção a uma lei universal?

A mudança — não alterações cosméticas, uma mudança real e radical — vai acontecer; não há dúvida. O que ainda está sujeito a perguntas é como e quando essa mudança vai acontecer, e vocês, meus irmãos brancos, sozinhos, precisam responder a essas perguntas.

Faço aqui um apelo: por favor, nos ouçam. Todos nós queremos que vocês reconheçam que somos seres humanos como vocês — nós rimos e choramos; amamos e nos casamos como vocês; queremos justiça tanto quanto vocês; queremos paz exatamente como vocês querem; queremos reconciliação. Queremos evitar uma violência sangrenta exatamente como vocês querem. Mas alguns de nós dentre os líderes negros que falam de paz e reconciliação estão tendo a credibilidade desgastada rapidamente, como dissemos, pela resposta do seu lado, com cães policiais, gás lacrimogêneo, com balas e morte. Assim, acontece a destruição de todos nós, negros e brancos juntos. Venham, vamos juntos andar de cabeça erguida em direção ao futuro maravilhoso que pode ser nosso, de negros e brancos, juntos; um futuro maravilhoso para os nossos filhos, negros e brancos. Não esperem até ser tarde demais; não esperem até que tenhamos realizado a profecia assustadora de *Cry, the Beloved Country*[2] [Chore, país amado] — "quando eles se voltarem para o amor, vão descobrir que se voltaram para o ódio". Por favor, ouçam-nos antes que seja tarde demais.

2

No começo de 1979, Tutu discursou em uma missa na igreja católica Regina Mundi, em Soweto — um importante local de encontro para comícios de protesto dos jovens ativistas —, em memória das vítimas do Massacre de Sharpeville, ocorrido em 1960. Os assassinatos em Sharpeville, quando a polícia fuzilou mais de 70 pessoas que se opuseram às leis do apartheid, *desencadearam uma série de acontecimentos — incluindo a declaração de um estado de emergência, o fim dos movimentos de libertação, tais como os que apelavam para a luta armada, e a prisão de Nelson Mandela e outros líderes — que culminaram com a supressão da ação militante contra o* apartheid *por uma década. Após a rebelião de Soweto, em 1976, os jovens para os quais Tutu dirigiu as palavras seguintes na Regina Mundi puseram fim a essa era.*

Estou diante de vocês como bispo nesta santa igreja católica e apostólica de Deus e, portanto, estou diante de vocês como um líder cristão. Quero enfatizar isso para vocês hoje, meu amigos, porque muito frequentemente somos acusados de misturar política com religião. Estou diante de vocês hoje como alguém que tem tentado, e continua a tentar, ser fiel a nosso Senhor e Mestre Jesus Cristo. Estou diante de vocês como alguém que clama que o que diz e faz não é ditado nem determinado por uma filosofia política própria. Estou diante de vocês hoje como alguém que não tem filiação política. Estou diante de vocês hoje como alguém que declara que não tem ambições políticas. Estou diante de vocês hoje para declarar que não me vejo como um arcebispo Makarios, que foi presidente do Chipre, nem como um bispo Abel Muzorewa.[3]

Estou diante de vocês hoje para afirmar que não são as minhas ações políticas, mas a minha fé que determina o que faço ou digo. São o meu comprometimento e a minha obediência a nosso Senhor Jesus Cristo que determinam o que faço ou digo. Sei que se o bispo Tutu fosse dizer hoje o que pensa desse *apartheid* ou desse sistema de desenvolvimento dividido,[4] ou como queiram que seja chamado, se fosse dizer que esse sistema não é ruim, vocês sabem disso muito bem, alguém me acusaria de envolver política com religião? Não é meio estranho que, quando alguém afirma que um sistema injusto e opressivo é mau e iníquo, seja só aí que se diga que esse alguém envolve política com religião?

Declaramos que o Deus a quem louvamos é o Senhor de toda a vida, não só de certos aspectos da vida — os chamados "religiosos" ou "sagrados". E os aspectos econômicos e políticos? Queremos dizer que nosso Deus não se preocupa com eles? Desculpem, mas não é o que Bíblia diz. Ouçam esta passagem do profeta Isaías:

> "Por que jejuamos", dizem, "e não o viste? Por que nos humilhamos, e não reparaste?" Contudo, no dia do seu jejum

> vocês fazem o que é do agrado de vocês, e exploram os seus empregados.
>
> Seu jejum termina em discussão e rixa, e em brigas de socos brutais. Vocês não podem jejuar como fazem hoje e esperar que a sua voz seja ouvida no alto.
>
> Será esse o jejum que escolhi, que apenas um dia o homem se humilhe, incline a cabeça como o junco e se deite sobre pano de saco e cinzas? É isso que vocês chamam jejum, um dia aceitável ao SENHOR?
>
> O jejum que desejo não é este: soltar as correntes da injustiça, desatar as cordas do jugo, pôr em liberdade os oprimidos e romper todo jugo?
>
> Não é partilhar sua comida com o faminto, abrigar o pobre desamparado, vestir o nu que você encontrou, e não recusar ajuda ao próximo?
>
> Aí sim, a sua luz irromperá como a alvorada, e prontamente surgirá a sua cura; a sua retidão irá adiante de você, e a glória do SENHOR estará na sua retaguarda.
>
> ISAÍAS 58:3-8, NVI

Isaías está condenando práticas religiosas que não tenham influência nem relevância nas esferas sociais, políticas e econômicas. Ele está dizendo que tal religião é um insulto a Deus e, portanto, blasfêmia. É como se as pessoas religiosas estivessem tentando subornar Deus. "Deus, faremos isto por você se você nos deixar fazer como nos agrada." Deus diz: "Não nesta vida." Sabemos também que quando Jesus, o próprio Filho de Deus, caminhou sobre a terra, não disse aos doentes "Nunca se preocupem: todas as coisas ficarão boas para vocês no céu". Não, ele curou os doentes; abriu os olhos do cego; alimentou o faminto. Alguém que hoje tente dizer aos oprimidos, aos que vivem em barracos e favelas, aos que são transferidos de um lugar para outro, que são despejados de seus lares e obrigados a dormir em tendas sobre o chão duro por terem a cor da pele errada, que recebem salários mais baixos como um trabalho barato, que moram em casas que parecem caixas de fósforos em ruas mal iluminadas e sem calçamento e com centros de recreação inadequados; aos que precisam se levantar as quatro da manhã para estar no trabalho às sete ou oito horas porque o sistema de transporte é inadequado; aos que não podem educar os filhos porque precisam pagar pela educação, enquanto os ricos desta terra têm educação gratuita e compulsória para seus filhos — se alguém conseguir dizer às pessoas que vivem nessas condições para não se preocupar porque as coisas ficarão boas no céu, então tal pessoa está zombando da religião de Jesus Cristo.

Na história que conta sobre o Juízo Final, Jesus Cristo diz que nós é que nos determinamos aptos ao céu ou ao inferno ao fazermos ou não certas coisas. Na lista que ele dá, em lugar nenhum está escrito: "Você vai para o céu só porque orou ou porque foi à igreja." Agora, não digam que eu disse que ele pensava não serem importantes tais coisas, mas é significativo que não as tenha mencionado — ele menciona alimentar o faminto, vestir o desnudo, visitar o doente e os presos. Quantas pessoas banidas pelo governo vocês visitaram? Quantas vezes estiveram nos julgamentos políticos? Jesus Cristo diz que vocês não podem amar o Deus que não veem se não amarem o irmão que conhecem e estão vendo, porque ele diz: "Ame o Senhor, o seu Deus, de todo o seu coração, [... e] o seu próximo como a si mesmo" (Lucas 10:27, NVI). É meu relacionamento com Jesus Cristo e com Deus que me compele a estar envolvido na política, na economia, na luta pela libertação do nosso povo; e receio que ninguém possa mudar isso, porque para mim é isso que significa ser um cristão hoje na África do Sul.

Dezenove anos atrás nosso povo protestou pacificamente em Sharpeville contra as leis do passe.[5] Dezenove anos atrás!

O que aconteceu desde então? Bem, dizem para nós que essas coisas estão mudando na África do Sul. Não me façam rir! As coisas de fato estão mudando! Há dezenove anos que nos acostumamos a ser perturbados pela polícia exigindo passes e nos acostumamos a ver nossos pais e irmãos algemados, em um "crocodilo", sendo exibidos pelas ruas. Hoje, a polícia aprimorou os reides do passe. No ano passado houve um aumento de 100 mil na quantidade de presos. Não há mudança, certamente não para melhor. Qualquer mudança é para pior. Nosso povo está sendo preso para que as pessoas não vejam exatamente quantos negros estão desempregados. Eles são jogados não como seres humanos, mas como apêndices supérfluos — que é como um ministro de gabinete os chamou uma vez — nos bantustões. Os que os olhos não veem o coração não sente.

Com toda a autoridade que tenho como líder cristão e com toda a paixão que posso emitir como ser humano, quero fazer este apelo e dar o seguinte aviso. As ações da polícia são altamente provocativas. Parem-nas, por favor; senão um dia vamos ter uma explosão grave. Somos seres humanos com sentimentos. Somos seres humanos criados por Deus. Temos dignidade. Não prossigam dessa maneira — nos humilhando todos os dias. Não nos deixem desesperados, pois até os vermes se revolvem, como dizem. E um povo desesperado empregará meios desesperados.

Eu apelo aos nossos companheiros sul-africanos brancos. Essas coisas são feitas em nome de vocês. Repudiem-nas se querem ter um futuro em que possam se orgulhar de uma África do Sul não racista. Não se iludam: um dia os negros vão ter poder político neste país. Ninguém nem nada poderão impedir tal acontecimento. Então, estejam do lado vencedor.

Nossa luta é justa. Nossa luta é uma luta moral, e, por essa razão, está fadada ao sucesso. Os brancos sabem que estão apoiando um sistema injusto, opressivo e perverso. Não se pode zombar de Deus. Ele é um Deus de justiça, de bondade e amor — e está do nosso lado, porque somos os oprimidos. Ele vai derrotar o mau e a injustiça. Ele quer que todos os seus filhos, negros e brancos, sejam livres. Nós queremos uma África do Sul não racista, em que todos, negros e brancos, importem, não por causa da cor da pele, mas porque todos, negros e brancos, foram criados à imagem de Deus.

> Que diremos, pois, diante dessas coisas? Se Deus é por nós, quem será contra nós?
>
> Aquele que não poupou seu próprio Filho, mas o entregou por todos nós, como não nos dará juntamente com ele, e de graça, todas as coisas?
>
> Quem fará alguma acusação contra os escolhidos de Deus? É Deus quem os justifica.
>
> Quem os condenará? Foi Cristo Jesus que morreu; e mais, que ressuscitou e está à direita de Deus, e também intercede por nós.
>
> Quem nos separará do amor de Cristo? Será tribulação, ou angústia, ou perseguição, ou fome, ou nudez, ou perigo, ou espada?
>
> Como está escrito: "Por amor de ti enfrentamos a morte todos os dias; somos considerados como ovelhas destinadas ao matadouro."
>
> Mas, em todas estas coisas somos mais que vencedores, por meio daquele que nos amou.
>
> Pois estou convencido de que nem morte nem vida, nem anjos nem demônios nem o presente nem o futuro, nem quaisquer poderes, nem altura nem profundidade, nem qualquer outra coisa na criação será capaz de nos separar do amor de Deus que está em Cristo Jesus, nosso Senhor.
>
> Romanos 8:31-39, NVI

Capítulo 12

Absolutamente diabólico

Apelo de um companheiro cristão à moralidade

O apartheid *transformou os negros sul-africanos em unidades de trabalho, tolerados nos centros industriais e agrícolas do país apenas enquanto serviam à economia branca e constantemente sujeitos à deportação para os enclaves rurais etnicamente estabelecidos (chamados "bantustões" ou "terra natal"), nos quais a maioria negra deveria exercer seus direitos políticos. Após assumir o poder, em 1948, os arquitetos do* apartheid *começaram, no empenho para forçar a pureza racial e étnica, a transferir as pessoas do país todo, removendo os negros que viviam perto dos subúrbios de brancos para novos locais fora das cidades ou obrigando-os a viver nos bantustões criados para seus supostos grupos étnicos. Segundo uma estimativa de 1978, o governo teria forçosamente removido 2,1 milhões de pessoas de seus lares e ainda planejava remover 1,7 milhão. A observação dos efeitos das remoções desencadeou a primeira grande confrontação de Desmond Tutu com o governo. Tutu se tornou conhecido na comunidade branca ao falar — em um editorial de jornal e em carta aberta, amplamente divulgada, ao primeiro-ministro B. J. Vorster seis semanas antes do levante de Soweto — de seu "medo cada vez mais atemorizante" de "um confronto sangrento" se o* apartheid *não fosse abandonado. Três anos depois, ele escreveu outra carta — não publicada por mais de três décadas — para o sucessor de Vorster, P. W. Botha, que no cumprimento do dever deu a entender que estava disposto a considerar a possibilidade de introduzir reformas limitadas para atender as necessidades empresariais da comunidade branca.*

À Vossa Excelência, o Primeiro-Ministro
Sr. P. W. Botha
Private Bag X193
Cape Town, 8000
5 de julho de 1979

Caro Sr. Primeiro-Ministro,

Ref.: Projetos de Reassentamento Populacional

Escrevo a V. Ex.ª como um líder sul-africano para outro, como um sul-africano para um companheiro sul-africano. Porém mais fundamentalmente escrevo-lhe como um cristão a seu companheiro cristão. Escrevo-lhe com confiança porque V. Ex.ª tem sido bastante afável e cortês na correspondência que mantivemos até o momento sobre outros assuntos.

Escrevo com confiança sobre este assunto que desde a semana passada se tornou quase uma obsessão para mim porque creio que V. Ex.ª não esteja ciente das situações que me deixaram abalado durante a minha visita ao Cabo Oriental. Estou convencido de que se V. Ex.ª tivesse conhecimento das consequências dos projetos maciços de reassentamento populacional para os vossos companheiros seres humanos e vossos companheiros sul-africanos, V. Ex.ª e companheiros do Partido Nacionalista há muito tempo teriam mandado parar algo com situações tão dolorosas.

Escrevo com confiança porque estou certo de que V. Ex.ª esteja tentando direcionar este país das políticas de confrontação para aquelas de diálogo e coexistência. E aceito vossa *bona fides* a esse respeito. Acredito que V. Ex.ª queira introduzir uma nova dispensação, mas tenha de fazer movimentos circunspectos, porque muitos acreditam poder muito bem haver uma reação da ala direitista. Neste ponto é irrelevante dizer que considero tal temor excessivamente exagerado a despeito das indicações na eleição suplementar recente de uma clara revolta em apoio ao PNP.[1] Eu mesmo acredito que a comunidade branca da nossa terra amada anseia seguir V. Ex.ª a um futuro no qual a segurança seja garantida não primeiramente pelo poder policial e militar, mas porque todos os habitantes da nossa amada terra natal reconheçam ter uma participação nas coisas. E eles confiam que V. Ex.ª irá demonstrar, na realidade, que o *apartheid* está de fato moribundo, se não já morto.[2]

Escrevo para dizer a V. Ex.ª que a política de remoção e reassentamento da população é totalmente indefensável em bases morais e pragmáticas. As pessoas que estão trabalhando em período integral ou como operárias avulsas são reassentadas a uma distância longa dos possíveis postos de emprego. Elas costumavam ter acomodação adequada em seus antigos lares e agora foram jogadas em algum lugar esquecido por Deus e onde em geral não há acomodação alternativa adequada nem estabelecimentos de prestação de serviços. Isso é brutalmente devastador. Acabam sem trabalho, frustradas e famintas. É preciso encontrar fundos para reabrigá-las de uma maneira ou de outra, apesar de já haver uma séria escassez de moradias e todos os recursos disponíveis para esse fim estarem investidos na redução dessa demanda não atendida.

Mas é o aspecto moral que tem me perturbado, do qual acredito V. Ex.ª e vossos companheiros não devam ter ciência. E de que seres humanos estejam sendo tratados como se fossem menos que isso. Devo ser cuidadoso para não usar uma linguagem emotiva, mas Senhor Primeiro-Ministro, não posso deixar de falar sobre o descarregamento de pessoas como se fossem objetos, com quase nenhuma consulta prévia em relação ao que sentiam e já certamente com parca atenção sendo prestada a como se sentem. Não consigo ver o quanto tal tratamento se dá consoante ao Evangelho de Jesus Cristo, que disse: "O que vocês deixaram de fazer a alguns destes mais pequeninos, também a mim deixaram de fazê-lo" (Mateus 25:45).

Estou tentando ser o mais contido possível, pois preciso confessar que, no momento em que escrevo, me sinto profundamente agitado e zangado com o que vi. Sei que um ex-ministro de gabinete falou de nossas mães e nossos pais quando eles não podiam mais ser úteis aos brancos como se fossem "apêndices supérfluos". Não nos esquecemos dessa apelação — que os negros excedentes na chamada África do Sul branca seriam removidos para áreas rurais a fim de estar fora da vista e fora da mente, como algumas pessoas pensaram, de modo que eles e outros fariam parte de uma reserva de mão de obra negra barata à disposição do sistema de trabalho migratório.

Não creio que V. Ex.ª saiba o que a política governamental fez e tem feito às pessoas criadas por Deus, o Pai, redimidas por Jesus Cristo e santificadas por Deus o Espírito Santo. Não creio que V. Ex.ª saiba que algumas mulheres varrem as ruas de Sada por R6[3] por mês, apesar de o aluguel que pagam ter passado de R1 por quarto ao mês para R2, e, se uma casa tem três quartos, então todo o salário acaba destinado ao pagamento do aluguel. Não creio que V. Ex.ª tenha conhecimento de que certo idoso morando em Glenmore conseguia receber R2,50 por dia em um emprego próximo de sua casa e agora tem de pagar R6,50 apenas pela viagem de volta. Considerando que ele consiga trabalhar por quatro dias, de seu salário de R10 mais de 50% agora se destina ao pagamento de tarifas de ônibus. Não creio que V. Ex.ª conheça o caso da menina de Zweledinga que disse que vivia com a mãe e a irmã graças à doação de alimentos e que, quando não conseguiam comer, tomavam água a ponto de encher o estômago — e este é um país exportador de alimentos. Não, senhor, não acredito que V. Ex.ª tenha conhecimento de nenhum desses casos, pois tenho certeza de que vossa consciência cristã jamais lhe permitiria apoiar algo tão maligno como as consequências com que sofrem os filhos de Deus. Se assim o soubesse, V. Ex.ª ordenaria a suspensão imediata dos projetos de reassentamento populacional.

Vossa Excelência e o Dr. Koornhof[4] demonstraram grande coragem ao interromper a demolição em Crossroads, Cidade do Cabo, e em Alexandra Township, em Joanesburgo. Faço a V. Ex.ª um apelo em nome do nosso Senhor Jesus Cristo: por favor, interrompa o processo de realocação dos negros; só então o povo conseguirá acreditar que há mais do que retórica nas declarações ministeriais acerca da morte do *apartheid*. Pessoalmente, me sentirei sempre assombrado por aquela menina, de modo que me forço a fazer todo o possível para ver o fim daquilo que considero absolutamente diabólico e inaceitável para a consciência cristã. Não tenho sombra de dúvida de que, quando V. Ex.ª perceber o real significado dessas realocações, então irá partilhar o meu senso de urgência e a paixão que sinto por ver tal projeto encerrado imediatamente.

Desejamos a justiça, a paz e a reconciliação em nossa terra, algo que só virá com o esforço de remover tudo aquilo que torna o povo menos do que Deus planejou. Ou seremos livres juntos ou não o seremos em absoluto.

Oro para que Deus tenha me dado as palavras para comunicar a angústia de muitos para V. Ex.ª e para que ele vos dê a graça e a força necessárias para interromper os projetos de reassentamento populacional. Para o africâner, foi difícil esquecer os campos de concentração em que seus antepassados foram encarcerados pelos britânicos.[5] Talvez a memória dos negros em relação aos acampamentos e às vilas do projeto de reassentamento seja igualmente indelével. Trata-se de um assunto sério e urgente e peço que V. Ex.ª, mesmo com uma agenda muito apertada, por favor responda à minha súplica o quanto antes.

O evangelista São João clama apaixonadamente a todos nós: "Filhinhos, não amemos de palavra nem de boca, mas em ação e em verdade." Depois ele continua o apelo com estas palavras: "Amados, amemos uns aos outros, pois o amor procede de Deus. Aquele que ama é nascido de Deus e conhece a Deus. Quem não ama não conhece a Deus, porque Deus é amor." Antes, o mesmo São João pede: "Se alguém tiver recursos materiais e, vendo seu irmão em necessidade, não se compadecer dele, como pode permanecer nele o amor de Deus?" (1João 3:18; 4:7,8; 3:17).

Porque somos nós os filhos desse Deus, comportemo-nos uns com os outros adequadamente a nosso estado elevado.

Continuamos a orar pedindo pela bênção de Deus sobre V. Ex.ª e vossos colegas, que consigam servir de instrumentos da divina e graciosa vontade nesta bela terra que amamos tão profundamente.

Sinceramente,

Bispo Desmond Tutu

Secretário-geral

Conselho das Igrejas da África do Sul

Capítulo 13

Não bíblico, não cristão, imoral e perverso

Quando as leis humanas confrontam a Lei de Deus

Respondendo ao apelo de Desmond Tutu (ver capítulo anterior), o primeiro-ministro Botha reconheceu que os negros sul-africanos estavam sendo realocados, mas disse que não era política governamental "se desfazer" das pessoas. "Embora se admita que a remoção de pessoas dos locais de moradia estabelecidos possa causar inconveniências em alguns casos", disse Botha, "as vantagens finais excedem em muito as desvantagens iniciais". A despeito da rejeição, Tutu tentou repetidas vezes atrair Botha para um diálogo significativo. Sem lograr sucesso, a confrontação entre igrejas e estado cresceu e se intensificou, sobretudo após 1984, quando teve início a rebelião interna, derradeira e, enfim, bem-sucedida da nação contra o apartheid.

1

No começo de 1987 a polícia liberou uma ordem, sob as regras do estado de emergência, proibindo a participação pública em qualquer campanha que exigisse a soltura de presos, o que tornou ilegal os cultos de oração promovidos pelas igrejas em nome da libertação de presos sem julgamento. A polícia acabou recuando diante dos protestos da igreja, mas não antes de um culto no qual Tutu preparou a seguinte resposta.

No culto de hoje vamos orar pelos que foram presos sem julgamento, vamos pedir a Deus para fortalecer essas pessoas nos momentos de desolação, vamos pedir urgência às autoridades na libertação dos presos ou, ao menos, que tenham direito a um julgamento em sessão aberta.

Mas tais ações são razoavelmente inócuas e já aconteciam com certa frequência neste país sem que houvesse maiores problemas e sem que um indivíduo se visse em perigo por agir de tal modo. Quer dizer, isso até a última sexta-feira, quando o comissário de polícia divulgou uma série de restrições que transformaram essas atitudes em atividades ilegais sob as provisões do estado de emergência. Quero assegurar a vocês, caso tenham se sentido compelidos a pensar o contrário, que não estamos detrás da Cortina de Ferro, nem sob um estado policial totalitário, nem na Alemanha nazista, em que essas restrições seriam apenas parte de um todo. Estamos aqui realizando um culto em nome dos detentos, algo que foi considerado ilegal na República da África do Sul — um país cuja constituição mais recente, datando de 1984, invoca o nome de Deus em seu preâmbulo. Os homens do governo dizem que são cristãos determinados a sustentar o que costumam chamar de padrões e ideais do Cristianismo ocidental e dizem que a África do Sul pertence à família das nações ocidentais.

Este país afirma que dentre os padrões e instituições da civilização ocidental que sustentam estão a liberdade de culto e a liberdade religiosa. As disposições das últimas restrições representam a ab-rogação intolerável e inaceitável de tais liberdades e do texto da lei. Muitas de nossas igrejas incluem em suas intercessões orações costumeiras pelos detentos e suas famílias, além de terem um ou outro membro intimamente afetado pelo estado de emergência. Nossa congregação demonstra toda a solidariedade para com as pessoas que foram afetadas por tal estado. Será, então, que todos os cultos deverão ser declarados ilegais e será que os panfletos das paróquias que pedem orações e outros tipos de apoio pelos detentos e seus parentes também serão banidos, considerados ilegais? Pois não está claro se nossos cultos devem ser considerados como "reuniões" no sentido que constitui as tais regulações. Será que estaremos demonstrando solidariedade pelos detentos quando oramos em um grupo, e não como indivíduos, pelo fortalecimento e pela libertação dos detentos, quando, depois de cada oração que fazemos na igreja, dizemos "Senhor, em sua misericórdia..."; e a congregação responde "Ouve a nossa (não as minhas) oração"?

Acreditamos que Deus nos deu um ministério de reconciliação, que somos embaixadores de Cristo. Ao cumprir o ministério, tentamos alcançar todas as partes envolvidas em disputas. Fazemos sugestões sobre alguns dos passos que acreditamos que ambas as partes devem dar na tentativa de fazer a reconciliação mais provável, na tentativa de criar o clima adequado para que aconteçam negociações. É por isso que dialogamos com o Congresso Nacional e apresentamos propostas que, assim acreditamos, possam ajudar a alcançar um acordo sobre a séria crise que aflige nossa pátria amada. É sob essa luz que o chamado da nossa igreja e das demais deve ser visto, luz em que dizemos que as condições mínimas e irrevogáveis para a criação de um clima adequado à realização de negociações incluem a revogação do estado de emergência, a libertação de presos políticos e demais detentos, a revogação do banimento das organizações políticas negras e o início de conversas com líderes e representantes autênticos de todas as partes constituintes de nossa sociedade. Acreditamos que tudo isso faz parte do mandado divino que nos foi concedido. Porém, o governo, alegando-se cristão, deseja dizer de que maneira devemos realizar a obra que nos foi outorgada por Deus.

Todo governo tem a obrigação de garantir que seus cidadãos desfrutem seus direitos de tal modo que não infrinjam os direitos do próximo, além de garantir que tais direitos não levem a uma subversão de uma ordem social legítima que atenda à maioria que está sendo governada. Ninguém, em sã consciência, pode alegar que as súplicas pela libertação de presos caem em tal categoria. Será que alguém pode explicar de que modo o pedido pela revogação do banimento das organizações políticas negras por um grupo não é considerado subversivo, enquanto, ao mesmo tempo, a súplica pela libertação de presos o é? Essa falta de lógica faz crer que somos habitantes de um mundo semelhante ao de Alice no País das Maravilhas. Ninguém, em sã consciência, poderia entender que apelos não violentos, petições, telegramas e até campanhas pela libertação de presos sejam subversivos — a bem da verdade, essas atitudes trabalham, antes, para uma governança mais justa.

As autoridades querem se apropriar de um direito que só pode pertencer a Deus e, quando as leis humanas confrontam as leis de Deus, para o cristão não há debate nem argumento sobre a qual lei deve obedecer. Nosso Senhor disse a quem o questionou: "A César o que é de César e a Deus o que é de Deus" (Mateus 22:21). César jamais será Deus. Ele é um servo de Deus e trabalha para que o bem e a ordem justa prevaleçam. César não pode declarar autoridade absoluta sem cometer blasfêmia. As últimas diretrizes do governo são blasfêmias. Não é possível para o cristão obedecer a tais regulações sem desonrar a Deus, sem dar ao homem o que pertence por direito a Deus. É muito melhor obedecer a Deus do que aos homens, como disseram os apóstolos no sinédrio, o conselho judeu. Normalmente somos pessoas que respeitam a lei, mas quando a honra de Deus está sob risco, então acabamos desobedecendo a toda e qualquer lei iníqua e injusta.

Precisamos ter consciência da importante distinção entre o que é legal e o que é moralmente correto. As recentes regulações draconianas e emergenciais são legais, mas, sem dúvida, imorais e totalitárias. Tais medidas são típicas de um estado policial. Meu pai costumava dizer: "A quem os deuses vão destruir, antes fazem loucos." Acredito que as autoridades, com esta orgia de restrições, aparentemente perderam a sanidade. O poder desmedido acabou subindo à cabeça. Diz o ditado que o poder corrompe, mas o poder absoluto corrompe absolutamente.

Sou negro e já passei por várias situações em que perguntei se Deus realmente se importava com os negros, sobretudo ao ver algumas das coisas que nosso povo sofreu. Quando as Forças de Defesa sul-africanas estiveram em Maputo e Maseru há alguns anos,[1] fomos comunicados de que não poderíamos prestar serviços em memória das vítimas. Mas eu prestei meus serviços porque não pensava, na época, como não penso agora, que uma autoridade secular tem o direito de estabelecer que serviços eu devo ou não realizar. Essas mesmas autoridades matam nossas crianças e depois dizem de que maneira temos de enterrá-las, sem achar que acabaremos machucados. O que será que pensam que acontece conosco?

Para o governo, realmente somos menos que humanos, eles falam de nós usando a expressão "essa gente". A dor e a angústia um dia irão irromper em um dilúvio ininterrupto. Por favor, não permitam que as coisas cheguem a esse ponto. Agora estão dizendo que não podemos nem mesmo apelar pela soltura das crianças; crianças de onze anos de idade sendo mantidas presas — dizem que pedir por elas é algo subversivo. Mas o que é mesmo subversivo é o sistema político que torna possíveis tais práticas abomináveis. Será que as autoridades irão prender a mãe que pede, em público: "Por favor, libertem meu filho"? Se uma família se reúne e pede pela libertação de um irmão, de um filho ou qualquer outra pessoa, será que essa família será presa? Se um grupo de mães cujos filhos estão presos se junta para pedir, do fundo do coração: "Por favor, libertem nossos filhos", será que serão sentenciadas a dez dias de prisão ou a multas de R20.000? Se usarem camisetas com a frase "Por favor, tragam meu filho de volta", acabarão detidas?

Estou decidido a fazer não só uma súplica pela libertação dos detentos, mas também convencer outras pessoas a perceber o escândalo e a abominação que é, por exemplo, o fato de crianças serem mantidas em penitenciárias. Também estou decidido a convencer os cristãos de nossa igreja a condenar um sistema assim tão injusto e a fazer todo o possível para que as autoridades reconheçam a oposição às novas medidas. Se não podemos mais travar uma luta pacífica pela mudança em um sistema perverso e injusto, então será que o governo está dizendo que a única alternativa possível é a violência? O que mais será proibido ao povo? Será que o governo está dizendo que quase todos os protestos pacíficos agora estão proibidos? Pois que eles não fiquem de brincadeiras semânticas em regulações convolutas que parecem confundir até importantes advogados de sua importância.

Amigos, os líderes de nosso governo ficaram loucos. Talvez não soubessem o que estavam realmente fazendo. Pois vou dizer algo a eles. Eu não vou parar de pedir pela libertação dos detentos seja dentro da igreja, seja fora dela, em um culto ou uma reunião, porque acredito que isso seja parte da minha vocação como cristão. Quaisquer que sejam as consequências, suplico às autoridades que libertem todos os detentos ou que lhes deem a chance de um julgamento, e espero que vocês estejam ao meu lado nessa luta. Caso as autoridades me prendam e me acusem, quando voltar, continuarei pedindo pela libertação dos detentos se a situação ainda persistir. Vou trabalhar para convencer minha congregação e outras pessoas mais a se engajar em uma campanha para agirmos pacificamente e sem o uso da violência, quaisquer que sejam as consequências para mim.

Permitam que eu avise o governo mais uma vez, como fiz quando o Sr. Louis le Grange, predecessor do Sr. Adriaan Vlok no gabinete do ministério policial, fez acusações infundadas contra o Conselho de Igrejas da África do Sul na época em que eu era o secretário-geral: vocês não são Deus. Vocês podem ser poderosos, talvez até bastante poderosos, mas não são Deus. Vocês são meros mortais. Cuidado quando forem atacar a igreja de Deus. Outros já tentaram fazer isso e tomaram um baita tombo. Acabaram comendo poeira e o fizeram à custa de muita desonra — Nero, o imperador romano; Hitler; Amin e muitos outros. Vocês acabarão como meros destroços de um navio que o mar da história traz à praia e, se muito, caberão em uma nota de rodapé nas páginas da história.

Por favor, ouçam o nosso pedido. Livrem-se do monstro que estão criando chamado *apartheid*, e assim conseguiremos ter uma nova África do Sul — justa, não racista e democrática, em que brancos e negros convivam lado a lado, amistosamente, na terra onde nasceram e como membros de uma só família, a família humana, a família de Deus.

2

Em fevereiro de 1988, após o governo acrescentar outras restrições às atividades de organizações políticas, líderes religiosos se reuniram na Cidade do Cabo e desafiaram uma proibição em um protesto público que culminou com uma marcha de clérigos para entregar uma petição ao Parlamento. Nas semanas tumultuadas que se seguiram, os líderes comunitários da Cidade do Cabo formaram um novo comitê ad hoc *para agir no lugar das organizações que tinham sido proibidas; o governo acabou com esse comitê. Os líderes comunitários convocaram um comício para protestar em um campus universitário, e o governo proibiu o comício. Tutu reagiu convocando para um culto na Catedral de São Jorge no mesmo dia e na mesma hora em que o comício tinha sido anunciado. Discursando para uma congregação com membros de diversos credos com as palavras que seguem, ele deu vazão a seu caráter contestador.*

Estamos aqui reunidos para orar por nosso país, que enfrenta uma crise cada vez mais profunda, para refletir sobre tudo o que está acontecendo e sobre o papel que temos como fiéis — cristãos, muçulmanos, judeus, todos. Qual deve ser nosso papel em meio a essa crise? Na escuridão que nos cerca, enquanto se extinguem as luzes da liberdade uma a uma, apesar de todas as provas em contrário, estamos aqui para dizer que o mal, que a injustiça, que a opressão e a exploração — encarnadas na essência, na própria natureza do *apartheid* — não conseguirão perdurar.

Na Bíblia aprendemos a conversar com as coisas espirituais. São João diz: "A luz brilha nas trevas, e as trevas não a derrotaram" (João 1:5). Estamos aqui para reafirmar a esperança de que isso aconteça. Humanamente falando, quando olhamos para nossa situação, tudo parece desanimador. Mas precisamos reafirmar, e afirmar com confiança, de que este é o mundo de Deus, de que Deus está no comando.

Precisamos dizer para nossos governantes, em especial àqueles injustos como os que vivem nesta terra: "Vocês podem ser poderosos — talvez muito poderosos — mas não são Deus. Vocês são meros mortais! Deus — o Deus a quem adoramos — não pode ser ridicularizado. Vocês já perderam! Vocês já perderam! Vamos repetir mais uma vez, com sutileza: vocês já perderam; estamos convidando vocês a se juntarem ao lado vencedor. Venham! Venham e juntem-se ao lado vencedor. A causa que vocês defendem é injusta. Vocês estão defendendo algo que é fundamentalmente indefensável, porque é perverso. É perverso, sem sombra de dúvida. É imoral. É imoral, sem sombra de dúvida. É contra o Cristianismo. Portanto, vocês acabarão comendo poeira! E acabarão comendo muita poeira!"

3

Dez dias depois, sob pressão da primeira-ministra britânica Margaret Thatcher e do secretário de estado norte-americano George Shultz, Botha concordou em encontrar Tutu para ouvir um pedido pela anistia de seis pessoas que estavam prestes a serem enforcadas por participar do assassinato em grupo de um funcionário do governo em Sharpeville, em 1984. Enfurecido com a franca desobediência civil dos dirigentes das igrejas mais proeminentes do país, Botha usou o encontro — e uma carta que entregou pessoalmente a Tutu em resposta à petição — para repreender o arcebispo por conduzir uma marcha ilegal e por acusá-lo de participar de uma campanha da ANC e do Partido Comunista Sul-Africano para fundar "um estado ateísta marxista". A seguir, excertos da resposta de Tutu a essa carta.

Quero afirmar categoricamente que defendo tudo que disse e fiz no passado em relação à aplicação do Evangelho de Jesus Cristo nas situações de injustiça, de opressão e de exploração que formam a essência do *apartheid*, uma política que o governo de vocês tem implantado com uma eficiência cruel. Minha posição quanto a esse assunto não me traz vergonha nem me faz querer pedir desculpas. Sei que sigo firme na tradição cristã. Minha posição teológica advém da Bíblia e dos ensinamentos da igreja. A Bíblia e a igreja antecedem o marxismo e o Congresso Nacional Africano em muitos séculos.

Vocês me permitem dar alguns exemplos? A Bíblia ensina que o que investe cada pessoa de valor infinito não é este nem aquele atributo biológico específico, mas o fato de que todo indivíduo é criado à imagem de Deus (Gênesis 1:26). O *apartheid*, a política do governo de vocês, defende que o que qualifica alguém para o privilégio e para o poder político são irrelevâncias biológicas, a saber, a cor da pele e a ascendência étnica. Segundo o *apartheid*, tais seriam os critérios que tornam alguém importante. Pois está claro que essa escolha está em desalinho com os ensinamentos da Bíblia e de nosso Senhor e Salvador Jesus Cristo. Daí vêm as críticas da igreja de que as políticas do *apartheid* não são apenas injustas e opressivas; elas são, de fato, não bíblicas, não cristãs, imorais e perversas.

O *apartheid* defende que as pessoas foram criadas, em última instância, para ser separadas. Vocês fizeram valer políticas baseadas na lei de registro populacional, na lei de agrupamentos urbanos,[2] na segregação da educação, da saúde e assim por diante. A Bíblia ensina de maneira inequívoca que as pessoas foram criadas para o companheirismo, para a união; não para a alienação, para a separação, para a inimizade nem para a divisão (Gênesis 2:18; Gênesis 11:1-9; Atos 17:26; Romanos 12:3-5; 1Coríntios 12:12,13; Gálatas 3:28).

Posso demonstrar que o *apartheid* ensina a não reconciliação fundamental das pessoas apenas por pertencerem a diferentes raças. Pois isso está em desacordo com o ensinamento central da fé cristã que trata da obra reconciliadora de nosso Senhor e Salvador Jesus Cristo. "Deus estava em Cristo reconciliando consigo o mundo", declara Paulo (2Coríntios 5:19), resumindo o ensinamento contido em outras partes do Novo Testamento (João 12:32; Efésios 1:10; Efésios 2:14 e outros). Posso demonstrar que, ao lidar com seres humanos como se eles fossem algo menor do que criados à imagem de Deus e ao infligir um sofrimento indescritível e desnecessário ao povo — como pelas políticas nefastas de remoção populacional —, vocês acabaram infringindo princípios éticos básicos. Eu poderia continuar a dar exemplos de que as políticas que vocês praticam com o *apartheid* são não bíblicas, não cristãs, imorais e perversas. É por essa e outras razões que a nossa igreja e outras tantas declararam o *apartheid* uma heresia.

Não é inovação alguma o fato de trazermos a Palavra de Deus como a entendemos para suportar a situação em que estamos envolvidos. Os profetas de antigamente, quando declaravam "Assim falou o Senhor..." para os governantes e os poderosos daquele tempo, serviram como nossos precursores. Eles falavam sobre a necessidade de a religião demonstrar sua autenticidade ao exemplificar como acabava afetando a vida cotidiana do povo e, especialmente, como os ricos, os poderosos, os privilegiados e os governantes lidavam com os menos privilegiados, com os pobres, famintos, oprimidos, com a viúva, o órfão e o alienado.

Isaías diz que Deus rejeita toda a observância religiosa, por mais formalista e elaborada que seja. Ele assim ensinou aos fiéis:

> Removam suas más obras para longe da minha vista! Parem de fazer o mal, aprendam a fazer o bem! Busquem a justiça, acabem com a opressão. Lutem pelos direitos do órfão, defendam a causa da viúva.
>
> Isaías 1:16,17, NVI

Em outra oportunidade, ele alega que Deus não se aprazia com o jejum religioso. Deus declara, por intermédio do profeta:

> O jejum que desejo não é este:
> soltar as correntes da injustiça,
> desatar as cordas do jugo,
> pôr em liberdade os oprimidos
> e romper todo jugo?
> Não é partilhar sua comida com o faminto,
> abrigar o pobre desamparado,
> vestir o nu que você encontrou
> e não recusar ajuda ao próximo?
>
> Isaías 58:6-7, NVI

Elias questionou o rei por conta da injustiça cometida contra Nabote, que foi considerado pelo rei não como uma entidade, mas como um homem que fora considerado campeão por Deus (1Reis 21). Natã também não teve medo de condenar Davi por conta dos pecados cometidos (2Samuel 12). Esse envolvimento da religião com a política e o hábito de os líderes religiosos terem voz nas situações sociopolíticas e econômicas pode ser considerado uma prática corrente na Bíblia, o que estabelece para nós um paradigma e um mandato.

Nossas ordens vêm do próprio Cristo, não de qualquer ser humano. Nosso mandato tem base na Bíblia e nos ensinamentos da igreja, não em algum grupo ou ideologia política, seja ela marxista ou qualquer outra.

Nosso Senhor adotou como descrição de seu plano aquilo que foi explicado por Isaías:

> O Espírito do Soberano, o Senhor, está sobre mim,
> porque o Senhor ungiu-me

para levar boas notícias aos pobres.
Enviou-me para cuidar dos que estão com o coração
quebrantado,
anunciar liberdade aos cativos
e libertação das trevas aos prisioneiros;
para proclamar o ano da bondade do Senhor
e o dia da vingança do nosso Deus.

Isaías 61:1,2, NVI

Jesus faz referência a esse plano no primeiro sermão registrado por Lucas (Lucas 4:16-21). Ele se baseou na tradição profética para ensinar quais critérios seriam usados para julgar as nações — não pela observância a deveres estritamente religiosos, mas com base se haviam alimentado os famintos, vestido os que estavam nus, visitado os que estavam presos e assim por diante (Mateus 25:31-46).

Somos observadores da lei. As boas leis tornam a sociedade humana possível. Mas quando as leis são injustas, então as tradições cristãs ensinam que a obediência não é obrigatória. Nosso Senhor quebrou não só as leis dos homens, mas, algo que considerava muito mais sério, quebrou a lei de Deus para poder atender à necessidade humana — como quando ele violou a lei sabática (João 5:8-14). Ele demonstrou o devido respeito à autoridade secular na figura de Pôncio Pilatos, mas logo partiu para desafiar essa mesma autoridade secular quando se recusou a responder à pergunta de Pilatos (Marcos 15:3-5).

Trata-se de uma tradição santificada de ações diretas e pacíficas, como a que realizamos na tentativa de processar o Parlamento. Também lembramos o que os apóstolos disseram ao sinédrio judaico: que a obediência a Deus tem preferência sobre a obediência aos seres humanos (Atos 4:19; 5:29).

Aceitamos de todo coração o ensinamento de Paulo contido em Romanos 13 — que devemos nos submeter aos governantes terrenos (vv. 1,2). Não obstante, a autoridade desses governantes não é absoluta. Também eles serão julgados como servos de Deus. Esses governantes devem instar o medo apenas em quem faz o que é errado, sem dispensar o terror àqueles que fazem o certo (Romanos 13:3). O governante é servo de Deus e deve fazer o bem a seus súditos (Romanos 13:4). O governante deve agir em benefício daqueles a quem governa. Isso tudo não vem de um manifesto político, mas das sagradas Escrituras. O corolário aqui é que não devemos nos submeter a um governante que subverte o que é bom. É por isso que admiramos todos aqueles que se opõem a regimes injustos — como, por exemplo, governos comunistas totalitários. A Bíblia ensina que os governos podem se tornar bestas no sentido da linguagem simbólica do décimo terceiro livro do Apocalipse. Nem todos os governos e aqueles que os defendem em Romanos 13 demonstram o mesmo entusiasmo quando compreendem a implicação verdadeira de tal ensinamento.

Quero aqui declarar o óbvio — que sou um líder religioso cristão. Isso significa que, por definição, rejeito o comunismo e o marxismo por serem doutrinas baseadas no ateísmo e no materialismo. Eu tento trabalhar pela expansão do Reino de Deus, que um dirá acabará tendo líderes como os descritos em Isaías 11:1-9 e no Salmo 72:1-4 e 12-14:

> Reveste da tua justiça o rei, ó Deus,
> e o filho do rei, da tua retidão,
> para que ele julgue com retidão
> e com justiça os teus que sofrem opressão.
> Que os montes tragam prosperidade ao povo,
> e as colinas, o fruto da justiça.

> Defenda ele os oprimidos entre o povo
> e liberte os filhos dos pobres; esmague ele o opressor! [...]
> Pois ele liberta os pobres que pedem socorro,
> os oprimidos que não têm quem os ajude.
> Ele se compadece dos fracos e dos pobres,
> e os salva da morte.
> Ele os resgata da opressão e da violência,
> pois aos seus olhos a vida deles é preciosa.
>
> SALMO 72:1-4; 12-14, NVI

Eu trabalho pelo Reino de Deus. Por qual reino o governo de vocês, com as políticas do *apartheid*, trabalha? Oro por todos vocês, bem como por seus colegas de ministério, todos os dias.

Quarta parte

A consciência da África do Sul

Capítulo 14

Devemos nos tornar o foco de nós mesmos

Sobre o ódio, a vingança e a cultura da violência

No regime do apartheid, *Tutu se via como um "líder interino" na arena política, dando orientação apenas porque outros líderes estavam encarcerados, no exílio ou em prisão domiciliar. Depois que o sucessor de Botha, F. W. de Klerk, autorizou os movimentos de libertação e soltou Nelson Mandela e outros líderes, em fevereiro de 1990, Tutu assumiu a postura de "solidariedade crítica" para com eles, apoiando rogos por democracia, mas reservando-se o direito de criticá-los. Conforme o poder começou a pender para os movimentos de libertação durante as negociações por uma constituição democrática, velhos padrões de influência e privilégio desmoronaram, levando à instabilidade e à violência intracomunitária nos grupos negros, fomentadas por elementos do governo do* apartheid *que lutavam para continuar no poder.*

1

Em setembro de 1990, Tutu e seus bispos fizeram uma visita pastoral a Sebokeng, ao sul de Joanesburgo, uma comunidade que virou uma baderna depois que mais de 30 pessoas foram mortas por vigilantes armados pelas unidades de contrainsurgência do apartheid. *Durante as paradas que fizeram nos locais dos assassinatos, na igreja e onde multidões de jovens furiosos se reuniam nas ruas, Tutu pedia calma.*

Irmãos e irmãs, meus queridos filhos, não podemos permitir que o inimigo nos divida. Não podemos permitir que o inimigo se coloque entre nós! Não podemos permitir que o inimigo nos encha de ódio! Estamos machucados; sim, estamos machucados. Mas estamos aqui para tentar derramar óleo em todas as feridas. Saibam que a sua ferida é a nossa ferida. Vocês não estão sofrendo sozinhos. Suas feridas são nossas feridas. Bispos brancos, bispos negros, todos choram. Eles choram quando ouvem sobre o que aconteceu com nossos filhos. A dor de vocês é a nossa dor.

Mas aqui estamos para dizer: "Filhos de Deus, vamos mostrar que somos filhos de Deus ao evitar dar ouvidos ao ódio. Que o desejo da vingança não se apodere de nós." Vocês sabem que há um trecho do Antigo Testamento em que certa lei diz "olho por olho", não sabem? Pois Martin Luther King Jr. disse algo maravilhoso a esse respeito. Ele disse: "Imaginem só, se acreditássemos na lei que defende a regra do olho por olho, não tardaria para que todos estivessem cegos."

Não podemos permitir que isso aconteça. Nossa liberdade está aqui. Nossa liberdade está aqui — estamos prestes a colocar a mão sobre ela — e, por isso, certas pessoas ficam com inveja e repetem que não querem que sejamos livres. Não podemos permitir que essas pessoas roubem de nós esse prêmio. Não permitam. Apoiem-se uns nos outros! Apoiem-se uns nos outros! Digam: "Nós adoramos um Deus que sabemos ser um Deus que liberta seu povo da escravidão e conduz para a Terra Prometida." É esse o Deus que adoramos. Adoramos um Deus que irá nos libertar da escravidão do *apartheid*, da escravidão da divisão, e que irá nos conduzir até a Terra Prometida, onde brancos e negros, *todos* nós, serão apenas uma família, a família de Deus.

Nós, que somos cristãos, temos um grande privilégio; temos o enorme privilégio de poder dizer para os outros: "Sim, choremos, choremos, choremos por tudo que aconteceu, mas não permitamos que o ódio floresça." O ódio é como um ácido. Uma vez dentro de você, ele queima até chegar à pele. O ódio e a vingança são como um ácido que derrete você por dentro, até chegar o dia em que você irá se descobrir vazio por dentro. Por isso estamos aqui, dizendo que não temos dúvidas de que seremos livres, todos nós. Vamos dizer: "Nós seremos livres!"

2

Aproximadamente 14 mil pessoas foram mortas entre a soltura de Mandela e sua ascensão ao poder, em 1994 — mais que o dobro de mortos no levante final contra o apartheid. *A transição pode ser comparada a uma multidão que corre em direção à beira de um precipício, cujos protagonistas se alternam em correr para frente, parar e correr para trás, passando às vezes muito perto de cair do precipício, mas sempre evitando o desastre nos momentos em que o país estava mais ameaçado. Tutu se tornou mais conhecido nesse período por aquilo que Mandela chamava de "sua mente independente", cujas razões mais evidentes para merecer tal qualificação podem ser vistas neste sermão pregado na Catedral de São Jorge, na Cidade do Cabo, em 1991.*

Parece que a cultura da violência está se enraizando em nossa sociedade. Estamos sendo brutalizados e quase anestesiados, a ponto de aceitar o que é totalmente inaceitável. Se esse tipo de violência que irrompe em intervalos regulares continuar, então a nova África do Sul pode até florescer — apesar de improvável —, mas ela surgirá, e haverá poucos que conseguirão aproveitar; os que sobreviverão o farão apenas por serem mais fortes, por terem se beneficiado das leis da selva: a sobrevivência do mais bem preparado, matar ou morrer e que o diabo cuide dos retardatários.

Sim, meus amigos, existem muitos motivos para explicar a existência da violência.

Nos períodos de transição costuma haver violência por conta da instabilidade da transição, como muito vimos acontecer em partes da Europa Oriental.

Sim, a África do Sul nunca teve uma cultura de tolerância. O governo e seus respectivos defensores usaram de métodos covardes e nefastos para lidar com seus oponentes, indo da difamação e do uso do pelourinho, como ainda acontece na SABC-TV, no rádio e nas demais mídias que apoiam o governo, até a eliminação física de pessoas como agora ficou confirmado por meio dos esquadrões de extermínio como o CCB.[1] Por conta de tais práticas, o povo aprendeu que aqueles que ousam ser diferentes são inimigos e que o único modo de lidar com o inimigo é o extermínio.

Sim, isso tudo é verdade.

Parte dessa violência também advém da privação sociopolítica e econômica. Qualquer sociólogo poderá dizer que, quando você acredita que sua vida irá terminar em um *cul-de-sac*, que você não conseguirá terminar a corrida, então o nível da sua frustração irá aumentar a ponto de você estourar em violência. (Vejam o que aconteceu no Reino Unido nas revoltas contra o imposto sobre as eleições. Muita violência surgiu na mão dos brancos que sentiram que ficariam para trás naquela corrida.)

Sim, é tudo verdade.

Como também é verdade que estamos colhendo os horríveis frutos do *apartheid* com o sistema de trabalho migratório e seus temerosos *hostels* (albergues) só para mulheres ou homens.[2] Colocar homens viris em *hostels* exclusivamente masculinos ao lado de *townships* (distritos) em que se podiam ver outros homens vivendo em família é como deixar um barril de pólvora ao lado do fogo. Ainda mais quando os moradores desses *hostels* são alienados das comunidades dos *townships*.

Sim, é tudo verdade.

É verdade que a polícia e as forças de segurança têm agido, de modo geral, de maneira vergonhosa, sendo acusadas por todos os lados de falta de profissionalismo por serem forças de paz totalmente parciais, chegando ao ponto de alguns membros dessas forças até fomentarem a violência.

Sim, isso também serviu para jogar lenha na fogueira.

Sim, tudo isso é verdade. Mas não é a verdade *completa*.

Grande parte da violência também se deve à rivalidade política. Grupos políticos presentes na comunidade negra estão lutando para conquistar território e parece que eles não sabem, decerto alguns de seus seguidores não sabem, que um dos pilares cardeais da democracia é que o povo deve ser livre para escolher quem deseja apoiar. Coagir e intimidar é sinônimo de admitir que sua política não consegue persuadir por mérito próprio. O povo deve ser livre para escolher se quer ou não participar de boicotes e demais movimentos de massa. Esse é um aspecto irredutível e indiscutível da democracia.

Algo terrivelmente ruim aconteceu na comunidade negra. Por força das circunstâncias nós, negros, temos de apontar para todas as causas da violência que eu apontei e para outras a que não me referi. Em última instância, devemos voltar as luzes dos holofotes para nós mesmos. Não podemos culpar o *apartheid* para sempre. Decerto ele foi responsável por grande parte da maldade. Mas nós somos, fundamentalmente, seres humanos, e assim o provamos na resiliência demonstrada na luta pela justiça. Não nos permitimos ser desmoralizados, desumanizados. Nós conseguimos rir; conseguimos perdoar. Nós nos recusamos a dar lugar ao amargor, mesmo nos piores momentos dessa luta.

Pois então o que aconteceu de errado, a ponto de parecer que perdemos a reverência pela vida, a ponto de permitir que crianças dancem em volta de alguém que está sofrendo a terrível morte do *necklacing*?[3] Quando nossos líderes não são ouvidos por seus seguidores é sinal de que algo deu muito errado. Muito há de se admirar em nossas organizações políticas, mas também há muita coisa que não está certa. Alguns dos membros dessas organizações são totalmente indisciplinados e não é possível dar conta de uma luta se você não for dedicado e disciplinado. Nossas organizações precisam voltar ao início e instar a disciplina de baixo para cima.

Parece-me que nós, a comunidade negra, perdemos nosso senso de *ubuntu* — nossa humanidade, nosso cuidado, nossa hospitalidade, nosso senso de conexão, a noção de que a minha humanidade está atrelada à sua humanidade. Estamos perdendo o respeito próprio, o que para mim mais facilmente se vê pela extensão dos despejos e da desordem nos *townships*. Sim, vivemos na miséria e em favelas e guetos. Mas não somos lixo. Por que, então, parecemos *dizer* que é isso mesmo que somos, quando se vê como tratamos nossos ambientes já empobrecidos?

Quero sugerir algumas medidas que podemos tomar.

A primeira é que todos nós devemos ajudar a desenvolver a cultura da tolerância: viva e deixe viver. Vamos praticar o lema "discordo do que você diz, mas defenderei até a morte o seu direito de dizê-lo". Vamos aprender a concordar em discordar. Aqueles que discordam de nós não são, necessariamente, inimigos; se assim fosse, haveria pouquíssimos casais ainda juntos por aí!

Em segundo lugar, nossas organizações políticas precisam colocar a casa em ordem; precisam estimular a disciplina em suas fileiras; precisam adotar um código de conduta mínimo que diga: estes são os parâmetros além dos quais não iremos nos aventurar a seguir na conduta de nossas atividades políticas.

Terceiro, as autoridades precisam desarmar todos os grupos. Não faz sentido, é totalmente inaceitável falar em "armas tradicionais."[4] Armas tradicionais também matam. É absolutamente incorreto permitir que certos grupos circulem armados.

Quarto, que a polícia se torne uma força de paz verdadeiramente profissional e observante da lei e da ordem sem qualquer medo ou favorecimento. E também esperamos que ela se torne mais flexível. Porque o que aconteceu em Daveyton — a morte de 18 pessoas — só aconteceu por causa da insistência das forças de paz na observância de uma lei que a grande maioria das pessoas se recusa a obedecer, a lei que trata de encontros e protestos.[5]

Quinto, insisto para que todos os líderes políticos encerrem os discursos que falam de mortes; que parem com os discursos beligerantes, belicosos, que incitam as pessoas à violência, qualquer que seja a intenção de quem discursa. Já existe uma legislação em vigência e peço para que o governo a aplique. Por que permitem que pessoas como o Dr. Andries Treurnicht[6] saia impune com o discurso que faz tão abertamente? Vocês conseguem imaginar o que aconteceria a um negro se ele fizesse o mesmo discurso que permitem ao tal doutor fazer? Já existe uma legislação capaz de impedir que organizações como a AWB[7] faça discursos aviltantes, difamadores, insultantes e racistas que ferem o povo. O governo tem o dever de suprimir tais ações — e de fazê-lo com firmeza e rapidez.

Sexto, quero sugerir que as municipalidades, os conselhos municipais, os conselhos locais, as igrejas, as organizações comunitárias e os grupos políticos participem de uma campanha junto ao povo dos *townships* para limpar os locais onde vivem. Talvez isso sirva para fazer o povo reconquistar a autoestima, o respeito próprio e o orgulho que está perdendo.

Acompanhado das pessoas que me cercam, deixo aqui uma sugestão final para que todos nós, talvez ao meio-dia, façamos uma pausa para orar não só por nosso país, mas por toda a África. Usamos uma oração simples; sugiro que seja uma oração que possa ser ensinada a todas as pessoas. Trata-se de uma oração direta, criada por Trevor Huddleston:[8]

> Deus abençoe a África
> Guarde as nossas crianças
> Guie nossos líderes
> E nos dê paz.

3

Muitos dos que morreram durante a transição eram residentes de bairros negros e pobres, mas também houve incidentes isolados nos subúrbios da classe média branca. Em julho de 1993, homens armados invadiram um culto em uma noite de domingo na Igreja St. James, na Cidade do Cabo, e atacaram a congregação multirracial com fuzis automáticos e granadas de mão, matando 11 pessoas. Desmond Tutu discursou em um culto ecumênico na prefeitura da Cidade do Cabo na semana seguinte ao ataque.

A maldade desmedida está aí. Os maus perpetuam feitos de escuridão, de violência, de morte, com uma impunidade assustadora. Eles chegaram ao fundo do poço da depravação ao atacar e desgraçar um local divino de louvor e de adoração: um santuário de Deus.

Um desânimo horripilante e um senso de impotência querem cobrir nossa linda terra como se fossem trevas, ameaçando até as nuvens. Não podemos permitir que isso aconteça. Nós, o povo da Cidade do Cabo, dizemos não para essa situação. Não vamos deixar acontecer. Deus não vai deixar acontecer.

Nosso Deus é um Deus que tem experiência em lidar com o mal, com as trevas, com a morte. Das trevas e do caos anteriores à criação, nosso Deus fez surgir a luz, a vida, a bondade e uma criação ordenada para a qual, quando ele a contemplou, declarou que tudo era "muito bom".

Do desespero, da maldade, das trevas e da dor da escravidão, Deus, nosso Deus, produziu a grande libertação, o Êxodo. Deus, nosso Deus, fez seu povo especial a partir de uma massa de escravos desorganizados, a quem Deus libertou da escravidão e conduziu à Terra Prometida, porque Deus, nosso Deus, é um Deus de liberdade. Nosso Deus é um Deus de justiça, de paz e de bondade.

Como ato supremo, Deus, nosso Deus, fez o que precisava na agonia da cruz — em meio à violência, à escuridão e à morte. Pois daquele abominável instrumento de morte e de destruição, nosso Deus construiu a gloriosa vitória de Jesus Cristo com a ressurreição — uma vitória que representou a vitória da vida sobre a morte, da luz sobre a escuridão, da bondade sobre a maldade. Vocês e eu precisamos nos apoderar do fato de que temos um Deus vitorioso — como diz o refrão: "Que poderoso Deus nós temos!"

Na escuridão da repressão, nos piores momentos da opressão do *apartheid*, costumávamos dizer: *Moenie worry, alles sal regkom* (Não se preocupe, tudo vai ficar bem). Isso porque nosso Deus é um Deus que irá criar a justiça a partir da injustiça. E eles pensavam que estávamos apenas sonhando. *Nou hier's dit!* (Mas eis-nos aqui!) Vamos ter uma nova África do Sul! Vamos ter uma África do Sul na qual todos nós, brancos e negros, seremos verdadeiramente livres!

Hoje, nós, da Cidade do Cabo, nos unimos novamente por causa de uma atrocidade, e dizemos não à violência. À *toda* violência! Porque reverenciamos todo e qualquer ser humano. Uma só morte já é morte demais. Dizemos não à intimidação; dizemos sim para a liberdade! Dizemos sim para a paz! Dizemos sim para a reconciliação!

Nós, como já dissemos, somos o arco-íris de Deus. Somos belos porque somos o povo arco-íris de Deus e somos irrefreáveis; somos irrefreáveis, brancos e negros, quando nos movemos juntos na direção da liberdade, da justiça, da democracia, da paz, da reconciliação, da cura, do amor, da alegria e do riso; quando dizemos: "Esta África do Sul pertence a todos nós, negros e brancos."

Capítulo 15

Zero para seu consolo

Uma crítica entre camaradas e amigos

Alguns meses depois que Nelson Mandela foi empossado, Desmond Tutu acompanhou de perto a prestação de contas do primeiro governo democraticamente eleito na África do Sul, criticando os parlamentares, por votarem a favor de aumentos para os próprios salários; e a administração, por não conseguir fechar a indústria armamentista do apartheid. *Quando Mandela rebateu as críticas acusando-o de ser populista e sugerindo que Tutu mantivesse suas preocupações para si mesmo, Tutu lidou com o novo presidente como se ele fosse um ministro de gabinete do* apartheid*: "Mandela deve ter se esquecido ou deve estar mentindo", disse Tutu, "pois eles têm discutido os problemas em um café da manhã para poucos na residência presidencial da Cidade do Cabo". Depois da aposentadoria como arcebispo na Cidade do Cabo — e de presidir a Comissão da Verdade e Reconciliação a pedido de Mandela — Tutu colocou o sucessor do presidente, Thabo Mbeki, sob escrutínio semelhante. Ele foi particularmente crítico com o fracasso de Mbeki na campanha contra a disseminação do HIV e da aids e combateu de modo ainda mais firme o governo do vizinho Zimbábue, representado por Robert Mugabe, que se apoiou na repressão violenta à oposição para permanecer no poder. Suas críticas costumavam ser consideradas intervenções com um só parágrafo em* *discursos que se concentravam em outras questões. Isso mudou mais tarde, em 2004, quando — no início do segundo mandato de Mbeki — Tutu fez dois discursos importantes no intervalo de poucos meses. Neles, embora tenha feito elogios extensivos ao governo do Congresso Nacional Africano, ele também atacava o que identificou como tendências perturbadoras, da qual faziam parte um programa de rearmamento militar orçado em US$ 4 bilhões, a negação de Mbeki em relação à natureza e à extensão da crise do HIV e da aids e a dominação da vida pública pelos líderes do grupo das línguas ngúni da África do Sul.*[1]

1

O primeiro discurso aconteceu na palestra de abertura na cerimônia de homenagem ao mentor de Tutu, Trevor Huddleston, na Igreja de Cristo-Rei, em Sophiatown, Joanesburgo, a qual Tutu frequentara na adolescência e onde Huddleston tinha trabalhado. A série de palestras foi chamada de "Zero para seu consolo" — do título do livro de Huddleston que lhe rendeu fama internacional como ativista antiapartheid.[2] *Após prestar o tributo a Huddleston e sua comunidade religiosa, Tutu voltou-se para a África do Sul do século 20.*

Nossas habilidades foram moldadas pela luta contra o *apartheid* — como igreja, declaramos que o Reino de Deus exigia uma África do Sul livre e democrática, em que todos importassem. Funcionamos durante muito tempo do lado da *oposição*, e o *apartheid* foi o inimigo óbvio que galvanizou e uniu a todos. Agora, atingimos o objetivo — uma África do Sul livre, democrática, não racista e não machista.

Querem saber de uma coisa? É muito mais fácil ser *contra* do que ser *a favor*. Costumo dizer que Deus foi esperto ao permitir que eu me aposentasse logo depois da transição da repressão para a democracia, depois de passarmos do modo *contra* para o modo *a favor*.

A igreja é sempre o agente do Reino de Deus. Nenhuma governança política, por mais ideal que seja, pode ser coextensiva com esse Reino. Sempre haverá um quê de "ainda não". Hoje, a igreja não é mais um adversário do governo. Ela deve trabalhar em solidariedade com nossos líderes, mas não pode permitir ser cooptada. Ela deve manter uma distância crítica da qual possa sempre dizer "assim falou o Senhor", sem ter seu patriotismo e sua lealdade à África do Sul postos em xeque.

Precisamos elogiar o governo por todas as coisas boas alcançadas, e há muito pelo que ser grato. Atingimos um nível de estabilidade, a despeito da quantidade de crimes, que causa inveja em outras nações. Nosso presidente é tido em alta conta pelo mundo afora. Que metamorfose: passamos de um país que era praticamente um pária global para assumir a liderança na Nepad e na União Africana.[3] Vamos sediar o Parlamento Africano, uma grande joia para a nossa coroa. A lagarta abominável se transformou em borboleta bela e atraente.

Vejam, somos todos passíveis de falhas, mesmo os melhores dentre nós. Somos todos tentados a abusar do poder, quer seja no governo ou na sociedade civil — de fato, até mesmo na igreja. A igreja deve estar atenta e chamar a atenção para o irresistível abuso de poder, da corrupção, das tentações do nepotismo. Em última instância, acabaremos prestando contas a Deus. Todos nós deixamos a casa da escravidão do *apartheid*. Algumas pessoas, uma elite pequena, conseguiram verdadeiramente atravessar o Jordão e chegar até a Terra Prometida. Outros, que são muitos, ainda chafurdam no deserto da pobreza degradante e desumanizadora; são muitos os que ainda vivem na miséria e com privações. Muito já foi feito. Quem nunca teve água encanada e eletricidade, agora tem — mas estamos sentados sobre um barril de pólvora, porque o abismo entre o rico e o pobre se torna cada vez maior, apesar de, agora, alguns dos ricos serem negros.

A igreja deve estar sempre presente na vida do pobre e do vulnerável, que sempre estarão conosco. Não podemos, nem ousamos, esperar que o governo faça tudo. É possível demonstrar generosidade e compaixão. É possível partilhar, cuidar do próximo e dividir com o próximo. A preocupação com o próximo é a melhor demonstração do cuidado por si mesmo. A maioria de nós conseguiria adotar ao menos uma família pobre. É possível comprometer-se com R100 ou R200 por mês para uma família carente. Alguns de nós ainda têm a possibilidade de adotar uma criança de uma família carente e pagar pela educação dela. Vamos fazer isso enquanto for possível. Acabaríamos esmagados por uma revolta dos pobres, e aí já não haveria o que dividir. Vamos colocar um sorriso no rosto de Deus.

Nós deveríamos estar envolvidos com a recuperação moral da nação. Precisamos recapturar o espírito de reverência pela vida humana. Vamos nos levantar contra criminosos e sequestradores, contra aqueles que se envolvem em crimes do colarinho branco. Devemos procurar preencher o povo com o amor pela pátria, com o orgulho por nosso belo país, para evitar a poluição desenfreada. Poluir é um pecado e um crime. Devemos ficar sempre alerta. Somente o melhor é bom o suficiente para nós, para a África do Sul.

O *apartheid* acabou forçando as diferentes denominações e as comunidades dos diferentes credos a cooperarem em face do inimigo comum. Agora que o inimigo foi derrotado, é de se notar a tendência de retornar para os guetos religiosos sem manter os diálogos e a cooperação entre os credos. O desenrolar da questão do Oriente Médio afetou de modo especial a relação entre judeus e muçulmanos, para tristeza de nossa terra. Devemos procurar sempre promover o diálogo e a cooperação entre os credos e entre as igrejas.

Um fenômeno perturbador que vem ganhando força em nosso país é o florescimento da xenofobia. É compreensível que os habitantes locais sintam a competição por bens escassos como empregos e acomodações, mas tal competição não pode justificar a xenofobia. Será que já nos esquecemos, assim tão cedo, de como outros países africanos suportaram o impacto das perseguições que as forças de defesa da África do Sul realizaram além das fronteiras nacionais? Será que já esquecemos como países pobres ofereceram refúgio e asilo a nossos exilados e como eles acomodaram nossos movimentos libertários muitas vezes assumindo um custo grande demais para si mesmos? Nós, como igreja, precisamos falar contra esses males. Sim, é óbvio que alguns dos que buscaram asilo e dos refugiados podiam ser criminosos e traficantes de drogas, mas nós bem sabemos como é doloroso sofrer com o peso dos estereótipos. Nem todos os nigerianos são traficantes de drogas.[4]

Quando presidi a Comissão da Verdade e Reconciliação fiquei de queixo caído com um fenômeno que percebi. Parecia que os povos de língua do grupo nguni[5] governavam este país. Eu pertenço aos xhosas; os chefes da Comissão de Direitos Humanos, da Comissão Eleitoral, da Comissão de Gênero, o defensor público e o diretor nacional da promotoria também faziam parte desse grupo. Basta contar a quantidade de falantes desse grupo de línguas no gabinete. Precisamos tomar bastante cuidado. O genocídio que aconteceu em Ruanda só foi possível porque os tutsis dominaram os hutus durante muito tempo.[6] A Nigéria sofre com a guerra étnica e o mesmo motivo está por trás das atrocidades cometidas em Darfur, no Sudão, onde o árabe é profundamente desprezado pelo africano. Grande parte da política do Quênia tem por base a filiação tribal. No Zimbábue, os povos de língua ndebele e shona (que fazem parte do grupo nguni) tendem a pertencer a correntes políticas adversárias. Precisamos ter cuidado para garantir que não estamos estocando um ressentimento que pode vir a explodir algum dia. A África do Sul não deve se tornar um tipo de "nguni-cracia". Precisamos levar a sério as brincadeiras inoportunas, como "antes, eu não era branco o suficiente; agora, não sou negro o bastante". Toda brincadeira tem um fundo de verdade. Precisamos prestar atenção ao cozimento moroso de um rancor que pode vir a explodir.

Sim, é por termos muito orgulho do que o nosso governo já fez e pelo que haverá de fazer, que mantemos as expectativas elevadas. Precisamos questionar a adequação dos gastos reservados ao plano de rearmamento. Não temos nenhum inimigo externo. Nossos verdadeiros inimigos são internos: a pobreza, o crime, a doença e a corrupção. Esses perigos são uma ameaça muito maior à nossa terra do que qualquer inimigo externo que tenhamos à vista.

É importante salientar que uma democracia vibrante é tal em que o debate vigoroso, a diferença de opiniões, a discordância e a discussão são bem-vindas. Ninguém tem o monopólio da sabedoria e da capacidade. Precisamos evitar a bajulação desmedida como se fosse uma praga. Se uma política é boa, então ela consegue suportar qualquer escrutínio e a diferença de opinião. Ninguém é infalível. Precisamos incentivar as pessoas que fazem perguntas constrangedoras, pois nossos governantes só são governantes porque nós os escolhemos, e eles devem prestar contas para nós. Costumávamos dizer para os líderes do *apartheid*: "Vocês não são Deus." *Nenhum* governo pode ser Deus. Meu pai gostava de repetir: "Não levante a voz, melhore seu argumento." Aqueles a quem elegemos e a quem apoiamos deveriam ter a segurança de estar abertos a todo escrutínio e a todo debate, além de, especialmente, admitir o erro quando for o caso.

Precisamos exigir que o governo implemente políticas que nos deixem orgulhosos e as quais estaremos prontos para defender com bravura. As políticas em relação ao Zimbábue não se encaixam nessa categoria.

A África do Sul pode ser um caso de cintilante sucesso. Agora somos, o que é extraordinário, um símbolo de esperança para muitos países que sofrem com seus conflitos. A transição razoavelmente pacífica e a busca pelo perdão e pela reconciliação inspiram outras nações a seguirem nosso exemplo. Podemos, e devemos, alcançar o sucesso pelo bem de Deus na terra; a igreja, como agente de Deus, precisa poder dizer profeticamente: "Assim falou o Senhor."

2

A palestra em Sophiatown (mencionada anteriormente) atraiu pouca publicidade. Três meses depois, Tutu fez um discurso transmitido em rede nacional em comemoração ao legado de Nelson Mandela, no qual repetiu os elogios ao sucesso daquele governo, voltando-se depois para os desafios e fracassos, concentrando-se de maneira mais afiada em Mbeki e no fracasso dos membros e líderes do Congresso Nacional em contestar as opiniões de seus respectivos líderes.

Estamos celebrando 10 anos, uma década inteira de liberdade. Quero aproveitar a oportunidade para olhar para trás e fazer uma avaliação de nossas conquistas e uma revisão de nossos fracassos no momento em que avançamos na direção do glorioso futuro que se oferece para nós. Por esse motivo escolhi as palavras que utilizei no título no profeta Isaías: "Olhem para a rocha da qual foram cortados" (Isaías 51:1).

O que alcançamos?

Se tem algo que sei ser é repetitivo. Costumo dizer por aí que nós, sul-africanos, nos vendemos barato. Parecemos sentir vergonha do sucesso. Rapidamente nos tornamos *blasé*, sem dar o devido valor para certas realizações notáveis e sem dar ao próprio povo o devido crédito. O resultado disso é que tendemos ao desânimo, como se disséssemos que por trás de cada raio de sol devesse haver uma nuvem invisível — basta esperar o suficiente para ela aparecer. Obviamente, também temos problemas — problemas sérios, devastadores; mas, por favor, cite um país no mundo de hoje que não tenha problemas. Não, acredito que precisamos mudar de perspectiva. Se formos continuar olhando apenas para as falhas e faltas, o humor do povo será sempre fugaz e pessimista, de modo que estaremos criando um ambiente que incentive um fracasso ainda maior. É como diz o ditado: "Quem faz a fama, deita na cama." Se você criar uma expectativa baixa para seu povo, então não se surpreenda quando o povo não superar essa baixa expectativa. Muitas pessoas só conseguem alcançar o sucesso porque há uma fé por trás, porque alguém acreditou e inspirou essas pessoas com uma nova fé, uma nova confiança, uma autoestima renovada. O mesmo acontece com um país, formado por um conjunto de indivíduos.

Ora, o mundo ainda não superou o fato de termos tido uma transição razoavelmente pacífica da repressão para a democracia que experimentamos. Vocês já se esqueceram de como estávamos à beira de um enorme desastre, quando a maioria acreditava que iríamos ser dizimados em um horrendo banho de sangue racial? Vocês já se esqueceram do que aconteceu durante a transição para a democracia, quando ninguém poderia garantir que conseguiria sair para trabalhar de manhã e voltar vivo de noite, já que eram comuns as matanças indiscriminadas nos trens, nos táxis e nos ônibus? Vocês se lembram de quando as estatísticas oficiais sobre as fatalidades das últimas 24 horas diziam que seis, sete ou oito pessoas haviam morrido e nós suspirávamos, aliviados, pensando: "Bem, *apenas* sete ou oito morreram hoje." As coisas estavam em um estado desesperador — vocês se lembram dos ataques nos *hostels*? Pensem nos massacres que aconteciam a intervalos regulares. Houve muitas ocasiões em que parecia que só faltava uma fagulha, e nenhuma delas foi mais terrível do que o assassinato de Chris Hani.[7] Para muita gente, aquele foi um dos momentos mais assustadores de todos os tempos. Estávamos a um fio de bigode de distância da catástrofe absoluta. Eu disse: "Se sobrevivermos a isso, podemos sobreviver a qualquer coisa." Sim, parecia que estávamos à beira de uma conflagração de sangue e do desastre total. Mas não foi o que aconteceu. Em vez disso, o mundo se maravilhou, ficou de verdade espantado, com o espetáculo das filas compridas de sul-africanos de todas as raças, serpenteando até as cabines de votação naquele mágico e inesquecível 27 de abril de 1994.

Temos muito a celebrar e muito pelo que ser gratos. Olhem para nós — que outro país tem um colosso moral comparável a Nelson Mandela? Somos invejados por todas e cada uma das nações do mundo. Ele se tornou um ícone de perdão, de compaixão, de magnanimidade e de reconciliação para todo o globo. Como somos abençoados por ele ter tomado o timão e guiado o navio do estado através das águas agitadas da transição. Também devemos saudar F. W. de Klerk, que demonstrou uma coragem moral exemplar quando anunciou as estonteantes iniciativas de 2 de fevereiro de 1990 e que deram início ao processo de negociação da revolução.

Tendo em vista de onde viemos, dados os nossos antepassados, é incrível desfrutar a estabilidade de hoje. A Rússia fez a transição da repressão para a democracia praticamente na mesma época que nós. O Muro de Berlim caiu em novembro de 1989. Nelson Mandela foi libertado em fevereiro de 1990. Mas o que está acontecendo na Rússia hoje? O nível de crimes cometidos pela máfia, o conflito na Chechênia — os terríveis exemplos de massacres, como no desastre do sequestro no teatro e, mais recentemente, a catástrofe do sequestro na escola em Beslan — fazem com que o que acontece aqui na África do Sul pareça mais com um piquenique de domingo à tarde.

Costumo parar para olhar as crianças na escola que fica perto de casa, no subúrbio da Cidade do Cabo chamado Milnerton. Ali a escola costumava funcionar apenas para os brancos. Hoje, durante os intervalos, você consegue enxergar a nossa demografia ali refletida. Há alguns anos, uma situação dessas seria considerada ofensa criminal. Toda sorte de coisas horrendas aconteceria, costumava-se dizer, se as escolas fossem mistas. Tanto quanto posso perceber, o céu continua firme no lugar. Não seria estranho pensar que seria na África do Sul que as crianças teriam, um dia, de ir para a escola escoltadas por um policiamento ostensivo. Mas não, não foi na África do Sul que isso aconteceu: foi em Belfast, na Irlanda do Norte.

Vocês se lembram de como a polícia chegava até a subir em árvores para espiar os quartos das pessoas, na esperança de flagrar um casal que pudesse estar violando a Lei da Imoralidade,[8] apressando-se para medir a temperatura dos lençóis, fazendo sórdido o que deveria ser belo — o amor entre duas pessoas —; e de quantas carreiras, de quantas vidas foram destruídas quando as pessoas encaravam acusações amparadas por essa legislação abominável? Hoje, acredito que sou a única pessoa que ainda abre o olho — reparo nos casais mistos que passeiam de mãos dadas sem a menor preocupação, empurrando um carrinho de bebê com uma criança de cor indeterminada. Ainda sinto o temor de ver um policial interpelando o casal por violar a lei. Ainda sinto a humilhação da classificação racial e seus testes incipientes: bastava uma picada em alguém e, dependendo se a pessoa gritava *eina* ou *aitsho,* querendo dizer "ai", acabava classificada como "de cor" — de herança mista — ou "banto". Ainda lembro o desastre que tal prática levava às famílias em que até irmãos eram classificados em grupos raciais diferentes apenas por um ser mais moreno que o outro. Vocês lembram que as pessoas cometiam suicídio por causa da classificação racial? Havia pessoas que se passavam por brancas e evitavam membros da própria família que pareciam menos caucasianos.

Lembrem-se do terror das iníquas leis do passe, do sistema de trabalho migratório e dos *hostels* para homens ou mulheres e do desastre que eles causaram para as famílias negras em um país que, sem qualquer senso de ironia, fazia do Dia da Família um feriado nacional. Não é o cúmulo do bizarro que Nelson Mandela teve de esperar até os 76 anos para votar pela primeira vez na terra em que nasceu, quando os brancos podiam fazer isso tão logo completassem 18 anos? Quando me tornei arcebispo, em 1986, era considerado ofensa criminal o fato de eu ir morar na residência oficial do arcebispo em Bishopscourt, na Cidade do Cabo, por causa da Lei de Agrupamentos Urbanos. Eu disse ao governo que era o arcebispo e que iria viver em minha residência oficial e que poderiam fazer o que desejassem, mas que eu não estava pedindo permissão. Felizmente, nada fizeram. Mas é daí que viemos: aproximadamente três milhões de pessoas removidas à força, como em Sophiatown, que teve o nome trocado para Triomf, ou triunfo. Como se para esfregar sal em nossas feridas, Triomf manteve muitos dos nomes das ruas da antiga Sophiatown. Como é maravilhoso ver a iniquidade vingada — Triomf voltou a ser Sophiatown.

Sim, fomos muito longe, a ponto de haver avisos públicos em que se lia: "Proibido cachorros e nativos." Havia também aqueles em que se liam: "Dirija com cuidado, travessia de nativos", mas que outras pessoas mudaram, assustadoramente, para: "Dirija com cuidado, cruzamento de nativos" (no sentido sexual);[9] ou também no caso em que, nas eleições, costumavam usar fotografias de um negro mal ajambrado e, para impedir que os brancos votassem nos negros, perguntavam: "Você gostaria que sua filha se casasse com este homem?" Ao que os negros de pronto respondiam: "Primeiro, mostre sua filha!"

Com antecedentes como esses, seria de esperar que as manchetes começando com "Terríveis revoltas em..." se aplicassem à África do Sul. Surpreendentemente, não foi na África do Sul que tais revoltas aconteceram, mas sim, recentemente, em Manchester, na Inglaterra.

Costumávamos ser os párias mais desprezados do mundo. O sul-africano tinha de se esconder lá fora, esconder sua nacionalidade. Hoje, acredito, temos algum prestígio. Na figura do nosso presidente Thabo Mbeki, nosso país tem estado à frente da criação da União Africana e participamos da concepção e da promoção da Nepad e da renascença africana. Trata-se de uma reviravolta notável. Os sul-africanos proclamam sua identidade com orgulho. Muitos usam a nova bandeira na lapela e estampadas nas malas. Todos querem que saibam que eles são da terra de Madiba.[10] Nossa constituição é amplamente aclamada como uma das mais liberais e avançadas do mundo. Vejam o notável papel que nossa terra vem desempenhando na promoção da paz na África: na Costa do Marfim, em Burundi e na

República Democrática do Congo, e em muitos outros lugares. A prestigiosa publicação *The Economist*, de Londres, chegou a propor que o presidente Mbeki fosse indicado para o Nobel da Paz deste ano por causa de seus esforços para promover a paz em muitos dos pontos sensíveis da África. Trata-se de uma bela joia para a coroa de Mbeki e uma bela joia para a coroa da nossa pátria.

A propósito, não há muitos países que podem se gabar de ter quatro laureados com o Nobel da Paz como nós. Ainda temos dois Nobéis de Literatura. Foi na África do Sul que aconteceu o primeiro transplante de coração. Nossos feitos esportivos não foram nada triviais. Fomos campeões mundiais de rúgbi em 1995, ano que recebemos a Copa do Mundo de Rúgbi esplendorosamente. Também fomos ótimos organizadores da Copa do Mundo de Críquete e a Copa do Mundo de Golfe, que conquistamos. Vejam os maravilhosos feitos dos golfistas Retief Goosen e Ernie Els. Conquistamos também a Copa Africana de Nações no futebol uma vez e podemos repetir o feito. E não podemos esquecer do maior evento esportivo do mundo, a Copa do Mundo de Futebol de 2010, com sede na África do Sul.

Mais de 7 milhões de pessoas agora têm acesso à água tratada que não tinham antes. Além disso, 1,4 milhão de pessoas foram brindadas com a eletricidade. Temos uma imprensa independente e crítica e um judiciário extraordinário. Todas essas são realizações que devemos celebrar e propagandear muito mais do que fazemos.

Sim, temos problemas. O mais sério deles é a devastação causada pelos surtos da pandemia do vírus do HIV e da aids. Mais de 4 milhões de pessoas em nosso país estão infectadas. Estima-se que quase 400 mil sul-africanos vão morrer este ano em consequência da aids. Isso é assustador. Mas quero dizer que há motivos para celebração mesmo diante dessa situação, e este é o motivo: a maioria das vítimas é negra e você pode até pensar (levando em conta o passado) que os brancos diriam: "Já vai tarde todo esse lixo". Porém, o que acontece é o exatamente o contrário: muitos dos trabalhadores mais dedicados e mais comprometidos com as campanhas que combatem o HIV e a aids são brancos. Isso é motivo de celebração, algo para ser divulgado e quero aqui prestar a devida homenagem a vocês, compatriotas brancos, por sua generosidade e dedicação notáveis.

Mas isso não é tudo. Há muitos companheiros sul-africanos que estão fazendo coisas maravilhosas. Lembro-me das bailarinas brancas que resolveram ensinar balé às crianças que moravam em *townships* negros. Elas começaram há dez anos e criaram o programa chamado "Dança para todos". Lembro também de Angela Rackstraw, uma jovem branca que é terapeuta ocupacional e que deu início a um projeto chamado "Programa de terapia de arte comunitária" para trabalhar com jovens que moram em *townships* e que sofrem com algum trauma, com o isolamento ou com histórico de abuso. Tenho certeza de que há muitos outros exemplos e dou graças a todos eles por seu entusiasmo e sua dedicação.

Quais foram os erros e quais são os desafios?

Um dos dons inegáveis que trazemos para o mundo é a diversidade e a nossa capacidade de afirmar e celebrar essa diversidade, a ponto de hoje termos 11 línguas oficiais. Nosso hino nacional é cantado em quatro línguas. Dizemos que cada um de nós tem importância e que precisamos um do outro no espírito do *ubuntu*, que diz que só podemos ser humanos por meio dos relacionamentos, que uma pessoa só é uma pessoa por meio de outra pessoa. Nossa diversidade, que precisamos sempre celebrar e reafirmar, se constitui de uma diversidade de raças, de línguas, de cultura, de religião e de opinião. Queremos que nossa sociedade seja caracterizada pelo debate vigoroso e pela diferença de opiniões, em que discordar é parte de uma comunidade vibrante — uma comunidade na qual chutamos a bola, não a pessoa; na qual não consideramos que aqueles que discordam, que expressam uma visão diferente são *ipso facto* desleais ou não patriotas. O partido político que não pensa, que não critica e que só bajula é fatal para uma democracia vibrante. Preocupo-me ao ver como muitas pessoas são tão facilmente intimidadas e aparentemente forçadas a obedecer. Tenho certeza de que a adoção da representação proporcional foi positiva, mas ela deveria estar ligada à representação constituinte.[11] Temo que a adoção das listas partidárias tenham um impacto deletério sobre o povo, ainda que não tenha sido essa a intenção. Estar em uma lista dessas é bastante lucrativo. As recompensas são substanciais e, se questionar a posição do partido põe em risco a chance de uma pessoa aparecer na lista, não serão muitos os destemidos, o que faz com que o povo opte pelo silêncio apenas para se transformar em gado com chance de receber votos para o partido.

Nos dias de luta tudo era muito mais estimulante, porque se falava em um mandato — era preciso justificar sua posição em debates vigorosos. Mas isso parece não acontecer mais. Parece que a adulação virou regra. Eu gostaria de ter visto um debate muito mais extenso como, por exemplo, em relação à posição do presidente do Congresso Nacional na questão do HIV e da aids. A verdade nunca sofre por ser desafiada e examinada. É impossível que haja unanimidade logo na proposição de um assunto. Eu não concordei com o presidente, mas isso não me fez inimigo dele. Ele sabe que o tenho em alta conta, mas nenhum de nós é infalível; é por isso que somos uma democracia, não uma ditadura. O governo deve prestar contas, bem como todas as figuras públicas, ao povo. Eu esperava que houvesse muito mais debate e discussão.

Vamos olhar para a rocha da qual fomos cortados. Precisamos diminuir o calor dos discursos públicos e esperar que, assim, aumente a luz que deles provém. Não devemos impugnar os motivos do próximo, mas sim, aceitar a boa-fé de quem debatemos. Quando se acredita em algo, então é fácil defender isso racionalmente, na esperança de persuadir aqueles que se opõem a mudar seu ponto de vista. Não podemos ter a avidez de impor a hierarquia e exigir uma conformidade acrítica, bajuladora e subserviente. Precisamos encontrar maneiras pelas quais incentivar as massas, engajar o povo em discursos públicos nas *indabas* e prefeituras para que ninguém se sinta marginalizado, ao contrário, para que todos percebam que cada ponto de vista é importante e é levado em conta. Só então conseguiremos alcançar um consenso nacional. Precisamos debater mais abertamente, sem abusar da linguagem emotiva, e falar de assuntos como ações afirmativas, transformação nos esportes, racismo, xenofobia, segurança, crime ou violência contra mulheres e crianças. O que queremos que o governo faça no Zimbábue? Será que estamos satisfeitos com essa questão diplomática? As violações aos direitos humanos devem ser condenadas quaisquer que sejam as credenciais de luta do perpetrador. Deveria ser possível falar como adultos a respeito de tais assuntos sem precisar entrar em uma disputa de jargões.

O que significa de fato a melhoria econômica dos negros quando ela parece beneficiar não a grande maioria, mas apenas uma pequena elite que se esforça para se manter no poder? Não estamos, com isso, estocando um ressentimento que pode vir a explodir? De nada adiantará dizer que o povo não reclamava quando os brancos se locupletavam. Desde quando os padrões e valores do antigo regime são os mesmos para nós? Lembrem que um dos valores mais importantes falava assim: "O povo irá compartilhar."[12] Nós nos envolvemos na luta porque acreditamos que iríamos evoluir para um novo tipo de sociedade — uma sociedade atenciosa e compassiva. Porém, hoje, muitos, até demais, vivem em uma pobreza dura, degradante e desumanizadora. Precisamos trabalhar como loucos para erradicar a pobreza. Deveríamos estar discutindo se gastar tanto dinheiro em armas pode ser moralmente justificável em face da pobreza, que representa uma ameaça mais imediata à nossa segurança. Como nação, deveríamos estar discutindo se a RBC — isto é, a Renda Básica de Cidadania para os pobres — não seria mesmo uma maneira viável de evoluirmos.

Não podemos ser intimidados pelos decretos que vêm de cima. Não podemos falar de barriga cheia sobre as esmolas que se destinam a pessoas que muitas vezes vão dormir com fome. É o cúmulo do cinismo falar sobre esmolas quando é possível ver uma pessoa se tornar rica com o uso de uma simples caneta. Se isso não é uma esmola gigantesca, então o que seria? São poucos os pobres que querem esmolas; eles são orgulhosos, mas também precisam de uma ajuda. Deveríamos estar dizendo que, apesar de ter sido importante a construção de mais de um milhão de unidades de habitação, grande parte dessas casas não é aceitável. O povo as chama de "Uno", como o carro italiano. Essa é a nossa próxima geração de favelas. Os projetos públicos têm dado bons exemplos. O programa Habitat para a Humanidade tem mostrado que isso é possível. Certo milionário irlandês assume um custo anual de ajudar pouco mais de 300 compatriotas a construírem 50 lindas casas em uma semana ao custo de R48.000 cada. Por que motivo nós, sul-africanos, não podemos fazer o mesmo?

Desejamos que a sociedade tenha novas qualidades — compaixão, gentileza e cuidado. Queremos um tipo de sociedade em que o presidente se sente no chão para falar com seu povo, na modéstia dos lares; em que o presidente ofereça carona no transporte oficial para uma mulher poder comparecer à recepção presidencial a Charlize Theron na comemoração do Oscar que recebeu — atitudes recentemente demonstradas por nosso presidente, que diz que tem o coração do mesmo jeito que tem a cabeça. Desejamos o tipo de sociedade em que uma viúva segure o rosto do presidente entre as palmas das mãos e olhe para ele depois de ele ter feito um discurso emocionado em africâner no funeral do maravilhoso Beyers Naudé.[13] A imagem de ambos traduz com eloquência o tipo de nação que desejamos ser: uma nação à qual todos pertencem e em que todos têm essa consciência; todos são cidadãos e ninguém é estrangeiro; todos são membros deste país notável e louco; e todos pertencem à nação arco-íris.

Sim, nós podemos ser um caso de cintilante sucesso. Vamos alcançar o sucesso porque Deus quer que tenhamos sucesso neste mundo. Somos um farol de esperança um tanto improvável para o resto do mundo.

Respondendo a Tutu em uma newsletter virtual de seu partido, Mbeki provocou ainda mais manchetes com um contra-ataque vigoroso. Ele negou a prática da discordância silenciosa, defendeu suas políticas de governo, acusou Tutu de insultar gratuitamente os membros do Congresso Nacional e questionou a familiaridade de Tutu com os fatos e seu "respeito pela verdade". A controvérsia durou semanas, com o partido publicando uma série de dez documentos intitulados "Sociologia do discurso público na África do Sul". A discussão foi descrita pelo Congresso Nacional como talvez o debate político mais intenso dos últimos anos, mais exaltado que a própria campanha eleitoral nacional.

Capítulo 16

O que aconteceu com você, África do Sul?

O preço da liberdade é a eterna vigilância

Em 2006, dois anos após a controvérsia que concluiu o capítulo anterior, Tutu concentrou suas críticas em outros líderes sul-africanos. Em 2005, Mbeki demitira o vice-presidente Jacob Zuma, depois que um filiado fora preso por subornar Zuma durante negociações com empresas da indústria bélica europeia que concorriam em licitações de contratos para o programa governamental de rearmamento militar. Zuma não foi processado imediatamente pelas acusações da negociata com as armas, mas, em 2006, foi acusado de estuprar uma mulher soropositiva 30 anos mais jovem que ele. Zuma foi absolvido após declarar que o sexo foi consensual, mas censurado pelo juiz por deixar de se prevenir contra a infecção. Quando o partido governante começou a discutir os sucessores de Mbeki, forças que tinham se desencantado com ele — inclusive aliados do Congresso Nacional nos sindicatos e no Partido Comunista — se aglutinaram em torno de Zuma.

1

Em uma palestra de agosto de 2006, enquanto promotores investigavam as acusações de corrupção contra Zuma, Tutu interveio no debate sobre quem deveria suceder Mbeki.[1]

Nossa atmosfera política, que tem sido notavelmente estável apesar dos antecedentes menos que auspiciosos, foi recentemente convulsionada pela crise sucessória no Congresso Nacional, com brados de complôs, conspirações e com todo o efeito consequente que resultou em turbulência considerável. E, assim, penso que seja oportuno falar a respeito de liderança: liderança verdadeira e real.

Há um episódio nos evangelhos cristãos em que os discípulos de Jesus disputam posições de liderança. Tiago e João, os dois irmãos filhos de Zebedeu, queriam ser superiores dos outros dez discípulos, de modo que se anteciparam aos companheiros, aproximaram-se de Jesus e pediram que ele lhes desse posições de destaque — queriam sentar-se um de cada lado de Jesus em sua glória. Nenhum outro pedido almejaria maior destaque. Os outros dez companheiros se enfezaram, mas não pela falta de humildade dos colegas. Não, nunca. Ficaram chateados porque os dois tinham feito as reivindicações primeiro e, digamos assim, lhes passado a perna. Foi uma situação desagradável, pois os discípulos passaram a discutir publicamente sobre quem seria o maioral. Seria de se supor que as pessoas ligadas a Jesus apresentariam qualidades encantadoras, como a humildade e a modéstia. Então Jesus reuniu a todos para dar uma lição profunda sobre a liderança de verdade e sobre a real grandeza. Ouçam só:

> Quando os outros dez ouviram essas coisas, ficaram indignados com Tiago e João. Jesus os chamou e disse: "Vocês sabem que aqueles que são considerados governantes das nações as dominam, e as pessoas importantes exercem poder sobre elas. Não será assim entre vocês. Ao contrário, quem quiser tornar-se importante entre vocês deverá ser servo; e quem quiser ser o primeiro deverá ser escravo de todos. Pois nem mesmo o Filho do homem veio para ser servido, mas para servir e dar a sua vida em resgate por muitos."
>
> MARCOS 10:41-45, NVI

Agora, que tipo de advertência é essa? Totalmente fora da realidade, sentimental e utópica. Teriam feito picadinho de vocês em um mundo duro e cínico, em que cães matam uns aos outros; só o mais forte sobrevive; cada um é por si em um ambiente de competição implacável. Mas será que é esse o tipo de sucesso que as pessoas admiram de verdade e até reverenciam? Madre Teresa foi merecedora do respeito mais elevado, até mesmo da reverência de muitos dos nossos contemporâneos deste mundo. Eu falaria sobre muitas das suas qualidades, mas certamente a virilidade não estaria entre elas. Ela foi reverenciada não por ser um caso de enorme sucesso. De certa maneira pode-se dizer que ela fracassou na luta contra a maré de pobreza das vítimas a quem serviu com tanta abnegação, e mesmo assim foi considerada uma santa em vida. Coisas semelhantes poderiam ser ditas de um Madiba, um Dalai Lama, um Mahatma Gandhi, um Martin Luther King Jr. ou um Dietrich Bonhoeffer. Assim, não podemos excluir do julgamento o que, *a priori*, parece ser um conselho estranho. As pessoas respeitam gente como madre Teresa, ou como os exemplos que citei, porque eles deram o melhor de si abnegadamente, dedicando a própria vida pela vida do próximo.

Liderando em nome do liderado

A fórmula que Jesus propôs certamente não era tão utópica nem irreal. Quase todos os que se tornaram líderes reconhecidos demonstraram este atributo fora do comum: o altruísmo abnegado. O líder não está lá pelo que poderá obter nessa posição elevada. Não, o líder de fato, o verdadeiro líder conhece a posição de liderança que o capacita a servir aqueles a quem lidera. Não é uma oportunidade de autoengrandecimento, mas de servir a seus liderados. E quase sempre esse atributo acaba demonstrado de maneira mais clara pelo fato de que aquele que aspira liderar sofre por amor à causa, pela causa do povo. É a prova dos nove da sinceridade do líder, o selo inequívoco da autenticidade de suas credenciais. Madre Teresa fez votos de pobreza e voluntariamente deixou para trás o conforto do seu lar europeu para viver na miséria do convento de um bairro pobre de Calcutá. Dalai Lama viveu no exílio por quatro décadas. Aung San Suu Kyi, uma mulher franzina e delicada, fez homens crescidos e armados até os dentes tremerem de medo e que, por isso, obrigaram-na a viver dez dos últimos 17 anos em prisão domiciliar na Birmânia, sua terra natal. Mahatma Gandhi abandonou as benesses de uma carreira jurídica de sucesso para se ocupar de sua busca de *satyagraha*, usando apenas míseros trajes, e ajudou a tornar a Índia independente. Poderíamos seguir nesse sentido citando múltiplos exemplos.

É por causa desse princípio — que de alguma maneira o sofrimento valida a autenticidade do líder que não vive para si mesmo, mas pelos liderados — que, em quase todas as partes do mundo, os líderes de movimentos de liberação vencem com facilidade as primeiras eleições pós-independência de seus respectivos países. Eles demonstram o altruísmo sendo presos, exilados ou se envolvendo de outras maneiras na luta pela libertação. E por isso Nkrumah, Nyerere, Kenyatta, Machel, Seretse

Khama, Nujoma, Mugabe e Mandela venceram com facilidade. Eles passaram no primeiro teste de um líder verdadeiro — o do altruísmo abnegado — com sucesso total. Paradoxalmente, o regime colonialista ou opressivo acaba sendo atacado pelos próprios golpes, pois toda vez que age contra alguém que o enfrete, coloca um selo de autenticidade sobre as vítimas.

Integridade

Os liderados — o povo, as chamadas massas — são, de certo modo, crédulos, pois quase nunca acreditam que seus líderes não sejam pessoas de integridade, de valores morais elevados. Devo confessar que eu mesmo já fui bastante ingênuo. Durante a nossa luta, nosso povo foi magnificamente altruísta. Tínhamos uma causa nobre e quase todos os envolvidos se sentiam inspirados por ideais nobres e elevados. Quando se dizia até para os mais jovens que talvez eles tivessem de sofrer com o gás lacrimogêneo, que poderiam ser açoitados ou que talvez soltassem os cachorros em cima deles; que possivelmente acabariam presos, torturados e até mortos, era possível sentir seu espírito de bravura quando respondiam: "E daí? Não ligo para o que irá me acontecer, contanto que eu contribua para a causa." Naquela época, os jovens falavam de regar a árvore da liberdade com o próprio sangue. Eram tempos de tirar o fôlego — e os jovens cumpriam com o que diziam: que a causa era a essência e a finalidade do existir e que estavam dispostos a sacrificar tudo, mesmo se tivessem de prestar o sacrifício final em nome da causa. Minha ingenuidade consistiu em acreditar que as atitudes nobres e os ideais elevados acabariam, depois da libertação, sendo automaticamente transferidos para o novo governo. Nós, sul-africanos, éramos de uma geração especial, e eu acreditei que iríamos mostrar para o mundo, especialmente para a

África assolada pelo flagelo da corrupção, que estávamos muito acima das gerações comuns. Uau! Que tremenda decepção — tão logo começamos a frequentar os corredores do poder, já estávamos querendo recuperar o tempo perdido. Sucumbimos às mesmas tentações que aqueles a quem considerávamos seres menores, aqueles que pareciam fadados a não conseguir manter as mãos longe dos cofres públicos. Posso dizer, ao menos, que isso nos mostra que éramos apenas humanos, que o pecado original não nos escapou.

Como foi desprezível e absolutamente decepcionante ver os funcionários que deveriam ser chamados de "servos civis" provando não ser nem civis nem servos, em vez disso, roubando os mais necessitados ao embolsar a ajuda que o governo oferecia. Entre as vítimas estavam os idosos, roubados das tão necessárias pensões, geralmente a única fonte de renda em um lar em que os responsáveis por colocar o pão na mesa estavam desempregados. Os corruptos que participaram desse esquema mostraram o quanto estavam privados de senso de vergonha e decência. Como foi bom ver que o ministro responsável pelo caso teve atuação decisiva e apresentou uma eficiência quase brutal para fazer os culpados pagarem por seus crimes. Depois é que surgiram todas as suspeitas e investigações sobre possíveis aspectos sombrios na questão do programa de rearmamento, algo relacionado a nosso ex-vice-presidente, mas não só a ele. Esperamos que haja uma investigação completa, já que reportagens vindas de promotores da Alemanha e da França dão conta de que há indícios de relação com o programa de rearmamento.

Na semana passada certo colunista de jornal disse que pensava ser errado eliminar o Sr. Jacob Zuma da corrida presidencial apenas por ele estar envolvido em um caso de estupro, por ter admitido cometer adultério e por possivelmente não ter educação universitária. O colunista argumentou que várias figuras políticas importantes haviam tido casos extraconjugais e que não haviam recebido educação universitária, mas que isso não os impedia de alcançar uma carreira política de sucesso. Desse modo, Jacob Zuma deveria, se inocentado das acusações de corrupção, receber permissão para concorrer à presidência nacional para o Congresso. Concordo que a falta de um diploma universitário não deve ser motivo para impedir a chegada dele à presidência. Mas não concordo que a má conduta sexual não seja um obstáculo. Até onde posso dizer, nenhum político jamais fez campanha almejando um cargo público ao admitir de antemão uma derrapada na conduta sexual. O reconhecimento de tais casos extraconjugais costuma vir muito depois. Tem sido comum ver alguém suspeito ou acusado de tal vacilo *depois* de assumir o cargo.

Decerto não acredito que um escorregão como esse deveria ser, necessariamente, motivo para desqualificar um candidato. Afinal, Deus não se furtou em usar um adúltero, o rei Davi, para ser o antepassado do Messias por excelência. A diferença fundamental aqui, é que houve um pedido de perdão e contrição no caso de Davi. Não tenho notícia de que o sr. Zuma tenha pedido perdão pelo que alega ter sido uma relação consensual, versão aceita pela corte que o inocentou. Ele praticou sexo casual com uma pessoa que poderia ser sua filha ao mesmo tempo em que chefiava o movimento para a regeneração moral do país, movimento apoiado pelo governo. A desculpa que ele pediu referia-se à brilhante declaração que pronunciou sobre a eficácia que os banhos tinham na prevenção do vírus HIV e da aids quando ainda era chefe da campanha do governo sobre prevenção e combate ao HIV e à aids.

Mas tudo isso não é nada se comparado ao comportamento de seus seguidores que estavam fora da corte. A conduta dessas pessoas foi abominável e um tanto desgraçada. Até onde posso dizer, em momento algum o sr. Zuma pareceu atordoado ou envergonhado por eles. Seus seguidores exigiram, com razão, que o campeão deles deveria ser presumido inocente até que se provasse a culpa. Porém, não agiram da mesma maneira em relação à querelante. Aquela mulher foi demonizada e sofreu com abusos. Ela foi intimidada a tal ponto que teve de usar um nome falso para esconder sua verdadeira identidade; a polícia chegou a temer pela vida dela de tal modo que ela acabou recebendo proteção 24 horas por dia; e não tenho lá muita certeza de que já não deixou este país, pois ninguém poderia garantir que ela não seria atacada e até assassinada por simpatizantes irados do investigado. Nossa constituição, que o presidente do país prometeu guardar e observar, garante a todos nós o direito de ter opinião própria. Gosto de Jacob Zuma e de ele ser uma pessoa calorosa e receptiva, mas ele nada fez para impedir seus simpatizantes. Eu, por exemplo, jamais conseguiria andar de cabeça erguida se uma pessoa com seguidores como esses acabasse na presidência do meu país. Que tipo de exemplo seria Zuma? Oro para que alguém o aconselhe e diga que a coisa mais digna e abnegada a se fazer — o melhor que ele pode fazer pela pátria que tanto ama — é declarar a decisão de não mais tomar parte na corrida presidencial de seu partido. Faço um apelo para seu patriotismo indubitável, como ficou demonstrado pelo papel distinto que teve em nossa luta. O teste de fogo, como disse no começo, é o bem-estar do povo, não o autoengrandecimento do líder.

Pois o que iria impedir o novo presidente de invocar os imperativos da cultura zulu para colocar donzelas em perigo por conta do que ele percebe como provocação sexual?[2] Talvez esse tipo de conduta poderia ser tolerado em alguém menos importante, mas é inaceitável para o nosso chefe de estado. Estamos falando aqui de compostura — na nossa língua, uma sombra, *isithunzi*, uma presença. Queremos que o nosso chefe de estado seja um presidente exemplar. Não pode ser uma pessoa qualquer. O povo quer que seu líder tenha carisma, que seja magnificente e elevado, digno, quase divino em expressar o melhor que puder uma consciência e identidade ideais. Mas o povo também quer que seu líder seja uma pessoa de carne e osso, não distante, mas presente, que esteja em contato com as pessoas, que tenha conhecimento de suas aspirações, angústias e necessidades, e que saiba onde o sapato aperta.

Esse enorme fardo tem maior probabilidade de ser realizado quando o sistema é transparente e permite a prestação de contas. O presente modo de eleger o presidente[3] e nossos representantes locais, provinciais e parlamentares bem nos serviram durante o período de transição. Já realizamos três eleições que foram declaradas livres e justas. Os observadores internacionais mal conseguem disfarçar o tédio da rotina monótona. Precisamos fazer com que nossos eleitos prestem mais contas ao eleitorado do que aos chefes dos partidos que controlam as listas partidárias. Já passou da hora de o nosso presidente ser eleito diretamente pelo povo. Já passou da hora de os distritos eleitorais terem sua independência de modo que os respectivos representantes soubessem que devem a lealdade e a prestação de contas prioritariamente para tais distritos, em vez de para um chefe de partido. Nossa democracia se tonaria ainda mais vibrante e engajada, pois ainda é o caso de que quem paga manda. Haveria uma sincronização mais rigorosa dos ritmos de funcionamento do executivo e de sua contraparte legislativa do que acontece hoje. As listas partidárias tendem a estimular a condescendência e a bajulação extrema. O preço da liberdade, já ouvimos incontáveis vezes, é a eterna vigilância. O poder é insidioso. Ele subverte até os melhores, de modo que precisamos impedir que seus atributos corruptores pervertam o melhor de nós.

Um universo moral

Habitamos um universo moral no qual, em última instância, o certo, a bondade, a justiça, a verdade e a liberdade sempre prevalecerão em detrimento de suas contrapartes malignas. Este é o mundo de Deus e Deus está no comando. Os mensageiros notáveis de Deus declararam que ele claramente pende para o lado dos pequeninos deste mundo — os desprezados, os oprimidos, os marginalizados, que são representados na escritura pela tríade formada entre a viúva, o órfão e o estrangeiro. Esses profetas disseram que Deus tem uma queda especial pelos oprimidos e que ele sempre age em favor deles contra os mandantes, os poderosos, os cruéis, os duros de coração. Assim, Deus libertou uma turba de escravos; esse Deus agiu em favor de uma não entidade, em favor de Nabote e contra o rei. Esse Deus mandou para os cristãos o próprio Filho, que nasceu em um estábulo, primogênito do carpinteiro da vila e de sua esposa adolescente. Esse Filho não buscou a companhia de presidentes e de arcebispos, mas a de prostitutas e pecadores; ele proclamou que seríamos julgados aptos ou não ao céu pelo modo com que tratamos o faminto, o sedento, o que tem frio — e, para surpresa geral, declarou que tudo que fizemos ou deixamos de fazer a eles, nós fizemos ou deixamos de fazer para ele próprio.

Sim, o poder sempre é julgado pelo modo como trata os favoritos de Deus, segundo o Salmo 72:

> Reveste da tua justiça o rei, ó Deus,
> e o filho do rei, da tua retidão,
> para que ele julgue com retidão
> e com justiça os teus que sofrem opressão.
> Que os montes tragam prosperidade ao povo,
> e as colinas, o fruto da justiça.

Defenda ele os oprimidos entre o povo
e liberte os filhos dos pobres;
esmague ele o opressor!
Que ele perdure como o sol
e como a lua, por todas as gerações.
Seja ele como chuva sobre uma lavoura ceifada,
como aguaceiros que regam a terra.
Floresçam os justos nos dias do rei,
e haja grande prosperidade enquanto durar a lua.
Governe ele de mar a mar
e desde o rio Eufrates até os confins da terra.
Inclinem-se diante dele as tribos do deserto
e os seus inimigos lambam o pó.
Que os reis de Társis e das regiões litorâneas lhe tragam tributo;
os reis de Sabá e de Sebá lhe ofereçam presentes.
Inclinem-se diante dele todos os reis,
e sirvam-no todas as nações.
Pois ele liberta os pobres que pedem socorro,
os oprimidos que não têm quem os ajude.
Ele se compadece dos fracos e dos pobres,
e os salva da morte.
Ele os resgata da opressão e da violência,
pois aos seus olhos a vida deles é preciosa.
Tenha o rei vida longa!
Receba ele o ouro de Sabá.
Que se ore por ele continuamente,
e todo o dia se invoquem bênçãos sobre ele.
Haja fartura de trigo por toda a terra,
ondulando no alto dos montes.
Floresçam os seus frutos como os do Líbano
e cresçam as cidades como as plantas no campo.

Permaneça para sempre o seu nome
e dure a sua fama enquanto o sol brilhar.
Sejam abençoadas todas as nações por meio dele,
e que elas o chamem bendito.
Bendito seja o Senhor Deus, o Deus de Israel,
o único que realiza feitos maravilhosos.
Bendito seja o seu glorioso nome para sempre;
encha-se toda a terra da sua glória.
Amém e amém.

Sempre, sem exceção, aqueles que usam o poder em benefício próprio, pela glorificação e pelo enriquecimento próprios, à custa dos favoritos de Deus, acabam se decepcionando. Talvez desfilem pelo palco do mundo como se fossem o galo do galinheiro, mas, sempre, todos acabam comendo poeira. Stalin, Hitler, Franco, Amin e companhia — onde estão agora? Os perpetradores da injustiça do *apartheid* pareciam invencíveis no alto de seu poder. Hoje, quase ninguém admite ter sido a favor do *apartheid*. Por isso, apelamos para aqueles que detêm o poder no mundo, no Oriente Médio, no Zimbábue: lembrem-se de quem são os favoritos de Deus e que se vocês agirem contra eles acabarão comendo poeira, e que o farão com toda certeza.

Se vocês desejam ser o melhor que puderem, então devem servir a todos. No fim das contas, até que não parece um conselho assim tão insano. Vamos evitar nos tornar a sociedade insensível, materialista, consumista e ostensiva condenada pelo presidente Mbeki na palestra que ele fez no mês passado. Que possamos nos tornar a sociedade cuidadora e compassiva em que todos importam, todos são celebrados e considerados.

Em dezembro de 2007, a conferência quinquenal nacional do Congresso Nacional se livrou de Mbeki como líder do partido sem pompa nem cerimônia. Sem enxergar o que certo líder sindical descreveu como "tsunami" que caía sobre ele, Mbeki tentou a reeleição, esperando continuar como chefe do partido e assim influenciar a escolha do próximo presidente do país. Zuma conquistou uma vitória esmagadora sobre ele, mas o partido deixou Mbeki concluir seu mandato como presidente da África do Sul. Dez dias depois, os promotores apresentaram uma denúncia contra Zuma, partindo de acusações de estelionato, lavagem de dinheiro, corrupção e fraude. Teve início então uma batalha legal que durou 15 meses, na qual os advogados de defesa lançaram uma série de contestações buscando excluir provas e interromper o julgamento com argumentos técnicos — batalha que fez o partido retirar Mbeki da presidência e substituí-lo por um presidente interino até as eleições nacionais em abril de 2009. Em um processo paralelo, o Congresso e seus aliados defenderam uma mal definida "solução política" para eliminar as chances de o presidente seguinte tomar posse enfrentando graves acusações criminais.

2

A infelicidade de Tutu com o comportamento de um movimento de libertação cujos líderes ele já respeitara um dia e cujas vozes silenciadas apoiara em campanha, culminou nas semanas que antecederam as eleições de 2009. Em março de 2009, o governo barrou a entrada do Dalai Lama na África do Sul para participar de uma conferência de paz organizada por dirigentes de futebol como parte dos eventos da Copa do Mundo de Futebol de 2010. O ministro das finanças, o popular e respeitado Trevor Manuel, reagiu ao alvoroço das críticas atacando as credenciais do Dalai Lama, dizendo que criticar o líder tibetano era visto em muitas partes como o "equivalente a tentar atirar em Bambi". Tutu disse em uma entrevista para a televisão que se sentia perplexo.

Parece que estou vivendo um pesadelo. Quero dizer, a África do Sul — nós, que já fomos tidos como um exemplo maravilhoso. Nós temos uma das melhores constituições do mundo — nós, que tanto lutamos, que tivemos o apoio da comunidade internacional para que tivéssemos um novo tipo de sociedade que respeitasse os direitos humanos. *Nós* fizemos isso! Desculpem-me: acabei de ver o que o ministro das finanças disse. Não consigo acreditar! Trevor Manuel! Como ele pôde descer tanto, como pôde dizer coisas aviltantes e depreciativas sobre o Dalai Lama! Quem é o Dalai Lama? O Dalai Lama, Trevor Manuel, se você não sabe, já ganhou o Prêmio Nobel da Paz. Trevor Manuel, se você não sabe quem é o Dalai Lama, ele é uma das poucas pessoas no mundo capazes de fazer lotar o Central Park. É um dos seres humanos mais santos do mundo. Ele está vivendo há 50 anos no exílio e não tem um pingo de raiva ou de ressentimento contra a China. Ele diz: "Não queremos a separação da China; queremos apenas autonomia para que nossa cultura, nossa religião possam florescer." É tudo que ele quer. Trevor, eu amo você — eu respeitava você. Jamais imaginei que iria acordar um dia e ouvir que Trevor Manuel iria chegar ao fundo do poço de maneira tão pavorosa.

Estou decepcionado por tudo que o governo tem feito a esse respeito. Estou decepcionado com o que eles têm feito em relação à Birmânia; estou decepcionado com a recusa do governo em permitir que o Conselho de Segurança discuta a questão do Zimbábue.[4] Estou profundamente decepcionado por vocês — o governo — terem nos desgraçado dessa maneira. É inacreditável. Vocês não podem tomar posições assim tão infelizes e acreditar que estão fazendo isso em meu nome. Pois vocês estão fazendo isso em nome de vocês mesmos, porque a China deu a vocês, o Congresso Nacional Africano, dinheiro. Não deram dinheiro para o país, deram para vocês. Vocês têm o direito de recompensá-los, mas não o façam em meu nome. Não façam, por favor, em meu nome. Não desgracem nosso país dessa maneira.

Quando visitamos outras partes do mundo hoje, muitos dos nossos amigos perguntam: "O que aconteceu com você? O que aconteceu com você, África do Sul? Nós lutamos com vocês e juntos conquistamos essa bela vitória, e acreditávamos que não teríamos mais de nos preocupar, que a África do Sul permaneceria do lado das vítimas, sempre se opondo aos ditadores, procurando defender os direitos humanos." Estamos destruindo o nosso legado; despencamos dos nossos altos padrões morais. Chegamos ao fundo do poço.

O problema das pessoas do governo é que agora têm poder e acreditam que serão poderosas para sempre, e é preciso sempre ser a voz da lembrança. O Partido Nacional acreditava que era invencível. Pois vou dizer para esse governo do Congresso Nacional Africano o mesmo que disse para o governo dos nacionalistas: talvez vocês tenham poder agora, mas vocês não são Deus. Lembrem: vocês não são Deus e, um dia, terão o que merecem.

3

Três semanas antes das eleições de abril de 2009, Tutu se dirigiu aos ouvintes de uma igreja na província em que Zuma nasceu, em KwaZulu-Natal.

Por que motivo Jesus Cristo foi condenado e morto? Ora, porque ele havia desafiado o poder de sua época. Ele irritou os líderes religiosos, os arcebispos de então, por causa de seus padrões absurdamente baixos. Vocês já pararam para pensar como são baixos os padrões de Deus, porque todo mundo, todo mundo pode entrar no céu, sobretudo aqueles a quem Jesus parecia brindar com sua companhia. Jesus irritou os líderes de seu tempo porque se sentava com prostitutas; ele se sentava com os que se chamavam pecadores e com os que eram considerados vendidos, os coletores de impostos. Quero dizer, vocês conseguem imaginar o que fariam se me vissem no bairro da luz vermelha, entrando em um bordel? Quais de vocês diriam: "Não, conhecemos o arcebispo; ele está entrando para pregar o evangelho naquele estabelecimento"? E então? Não obstante, lá é onde deveríamos estar, porque é lá que nosso Senhor estaria. Incrível!

Repare nos pais que ele teve. Eles não tinham dinheiro nem para pagar por um quarto em uma hospedaria. Lembro-me de alguém que contou a história de quando José procurou o dono da hospedaria e disse: "Oh, por favor, por favor, me ajude. Minha esposa está grávida; ela está prestes a ter um filho"; ao que o dono responde: "Não é minha culpa", e José devolve: "Nem minha."

Sabe, cometemos um terrível engano quando imaginamos Jesus como o bom pastor e enxergamos o bom pastor carregando um cordeirinho felpudo. Porque o cordeirinho felpudo nunca desgarra de sua mãe. A ovelha que tem chances de se desgarrar é sempre aquele carneiro velho, problemático e desregrado. O ponto da história aqui é que Deus está disposto a deixar as 99 ovelhas perfeitas e comportadas para dizer: "Desculpem, sabemos que vocês já vão mesmo para o céu, tudo bem." E para onde ele vai? Ele vai procurar a única ovelha que se desgarrou; quando a encontra, ela já não tem mais o pelo bem cuidado — ela passou por uma cerca de arame farpado, caiu em um poço com água suja e seu pelo está lacerado. *Essa* é a ovelha que o bom pastor procura e que depois carrega nos ombros. E o que diz Jesus? Jesus não diz que há alegria; Jesus diz que há *muito mais* alegria por essa ovelha do que pelas outras 99. Aqui temos um Jesus que demonstra uma parcialidade extraordinária em favor dos que não têm importância. Ele fala sobre o Juízo Final, e diz que seremos julgados pelo modo com que tratamos os desprezados: o faminto, o sedento, o que tem frio.

Mas atentem para esta bomba, que você e eu quase nunca levamos a sério: a bomba é que Jesus fala o tempo todo sobre certo tipo de solidariedade; aqui ele diz que há um meio de identificação: "O que vocês fizeram a este pequenino, fizeram a mim." Se tivéssemos os olhos corretos, enxergaríamos e diríamos: "Ora, acabo de alimentar Jesus." Mas não acreditamos nisso. Pense na pessoa que você mais despreza e depois pense nela de novo, porque essa pessoa é Jesus. É Deus. Eu represento Deus; vocês representam Deus. Vocês têm consciência disso?

Na verdade, Jesus estava dando continuidade a uma tradição incrível. Deus não é imparcial. Deus é absurdamente parcial. No livro do Êxodo, Deus estava a favor de uma turba — não era nem um povo —, um monte de escravos que nunca haviam feito nada. Deus os escolheu livremente. Vamos ler a Bíblia de novo, pois ela é uma das coisas mais explosivas deste mundo. Levítico fala bastante dos rituais e, no capítulo 19, diz: Deus vai a Moisés: "Moisés, vá e diga àquele povo que eles devem ser santos como eu sou santo." E você começa a pensar que eles estavam falando sobre uma santidade ritual, mas, quando lê o capítulo inteiro, vê que diz: "Não, não, quando estiverem colhendo, não colham tudo, deixem um pouco para os pobres"; Deus lembra o tempo todo que devemos ser gentis para com os estrangeiros, pois nós somos sempre estrangeiros. Desse modo, se você é santo e parte do povo desse Deus, então tem sempre de estar do lado do fraco, do pobre, do faminto. Vocês se lembram do que fez Isaías? Todos estavam na igreja, imaginem comigo — estou falando como anglicano —, imaginem uma catedral, cheia de incenso, com os arcebispos e bispos realizando os cultos, e todos são muito santos. Então chega alguém e diz: "Às favas com tudo isso. Isso é uma abominação. Não desejo nada dessas coisas; não passa de um barulho que não me agrada." Foi o que fez o profeta Isaías; ele disse: "Parem com isso — quando vocês erguem as mãos, elas estão cheias de sangue; vocês são assassinos. Se querem ser aceitos por mim, então mostrem essa vontade pelo modo com que tratam o fraco, a viúva, o órfão, o estrangeiro. Vocês podem continuar para sempre e sempre com isso. Mas não peçam pelo Espírito Santo de Deus, pois ele irá mandar que vocês preguem a boa nova para os pobres, irá mandar vocês proclamarem a liberdade."

Queridos irmãos e irmãs, estivemos envolvidos na luta contra a injustiça. Nós cuidamos daqueles a quem nosso Senhor chamou de os menores dentre nossos irmãos e irmãs. O povo assumiu um risco enorme durante essa luta e, por fim, com a ajuda dos nossos amigos do mundo inteiro conquistamos a gloriosa vitória coroada em 1994 — as primeiras eleições democráticas. Éramos os queridinhos do mundo naquele momento. Todos estavam empolgados conosco. Tínhamos esse ser humano incrível, Nelson Mandela, de quem todos querem um pedaço. Nós surpreendemos o mundo com nossa Comissão da Verdade e Reconciliação, e todos esperavam que iríamos navegar, por assim dizer, de glória em glória. Temos uma constituição que declara ilegal a discriminação com base em quase todas as coisas que costumavam dividir nosso povo: etnia, raça, fé — e agora também dizemos que não discriminamos as pessoas por suas necessidades especiais e muito menos por causa da sexualidade.

Pensamos que havíamos chegado a algum lugar e, talvez, abaixamos a guarda; agora tudo está difícil. Está difícil, meus amigos. Deus foi esperto por me deixar aposentar quando assim o decidi. E digo isso com alguma ironia — só *alguma* ironia. Na verdade, uma das coisas mais fáceis de fazer, agora que posso olhar para trás, é ser contra alguma coisa. Mas uma tarefa muito mais difícil agora cabe a vocês: transformar em realidade a nossa liberdade. Quando o novo governo age de modo suspeito, é muito difícil ser a voz a condenar, porque parece que se está agindo contra o patriotismo. Vocês têm um papel muito difícil de cumprir.

Estamos em uma situação difícil em nosso país. Imaginávamos que o idealismo, o altruísmo, a preocupação com o próximo mais do que consigo mesmo, que tudo isso acabaria sendo automaticamente transferido para a era pós-apartheid. Mas abaixamos a guarda e fomos surpreendidos pela velocidade com que parecemos nos esquecer das coisas. Vocês já estiveram em uma repartição pública? Já viram como as pessoas são tratadas? Nós nos comportamos na maioria das repartições exatamente do mesmo modo como acontecia no *apartheid*.

Eu gosto de Jacob Zuma — ele é afável, amigável —, mas, no ano em que temos Barack Obama, vocês conseguem imaginar o que é andar em Nova York e ser questionado sobre quem será o nosso presidente? Tenho de dizer que, hoje, não consigo fingir que estou ansioso por ter Zuma como presidente. Para o bem dele, espero que não tenhamos uma solução política.[5] Se ele é inocente, como alega ser, pelo amor de Deus, que seja uma corte a responsável por tal decisão.

Queridos amigos, será que foi por isso que as pessoas morreram lutando contra o *apartheid*? É por isso que acabaram no exílio? Foi por isso que houve muita tortura? Não sou um político — espero que vocês tenham consciência disso. Não estou tentando ser eleito para cargo nenhum. Sou apenas um velho homem que quer se sentar — quero passar um bom tempo ao lado da minha esposa. Mas meu coração se aflige. Já foi dito que parece haver algo de errado com o plano de rearmamento. Será que podemos ter um inquérito judicial? E então aqueles que deveriam saber das coisas, dizem: "Não, já olhamos tudo; não há nada de errado." Pelo amor de Deus, se não há nada errado, então por que tanto medo de um inquérito judicial? Por quê?

Este é o nosso país, o nosso belo país. Por favor, permitam que nós, idosos, consigamos ir para a cova com um sorriso; por favor, não nos deixem ir embora de coração partido. Por favor, por favor, temos um país fantástico, com pessoas fantásticas. Por que queremos tanto estragar tudo?

Uma semana depois que esse discurso foi proclamado, os promotores retiraram as acusações contra Jacob Zuma. Duas semanas depois, o Congresso Nacional Africano estava de volta ao poder em eleições nacionais. O partido perdeu votos na maioria das províncias, mas uma reviravolta dramática em apoio a Zuma em sua província de origem, KwaZulu-Natal, reduziu a perda total a apenas 4% dos votos. Zuma foi eleito presidente pelo Parlamento e empossado no início de maio de 2009.

Notas

Capítulo 1: *É claro que Deus não é cristão*

1. Lucas 10:25-37.
2. Ver também o capítulo 7.

Capítulo 2: *Ubuntu*

1. No idioma pátrio de Tutu, setswana, *ubuntu* é traduzido como *botho*, e a frase citada aparece como "Motho ke motho ka motho yo mongwe".
2. Um líder do movimento da consciência negra da África do Sul, morto pela polícia em 1977.

Capítulo 3: *Não há futuro sem perdão*

1. Registrado em mais detalhadamente no capítulo 9.
2. Em relação à divisão do livro de Isaías, o *Manual bíblico de Halley* diz: "Dois Isaías? Em parte alguma do próprio livro de Isaías, nem em qualquer outro trecho da Bíblia, nem sequer na tradição judaica ou cristã, existe a mínima menção ou sugestão da existência de dois autores. A hipótese de um 'segundo Isaías' (Deutero-Isaías) foi uma invenção da crítica bíblica moderna. O livro de Isaías, tanto na nossa Bíblia quanto nos dias de Jesus, é *um* só livro, e não dois. Não é nenhuma colcha de retalhos, mas sim é caracterizado pela unidade de seu pensamento, apresentado em uma linguagem sublime que faz com que esse livro seja uma das obras mais grandiosas que já foram escritas. Só existiu um único Isaías, e, críticos à parte, este é o livro dele." (N. da T.)

3. Um companheiro da Igreja Anglicana, também sacerdote.
4. Mentor político de Nelson Mandela e também companheiro de prisão.
5. Presídio onde ficavam os perpetradores de genocídio.

Capítulo 4: *E quanto à justiça?*

1. Este capítulo foi extraído de palestras realizadas em 2004 na Universidade de Copenhagen e no Frank Longford Charitable Trust, em Londres.
2. 2. Na época dos pronunciamentos de Tutu, o ex-ditador Augusto Pinochet estava combatendo os esforços da corte chilena em destituí-lo de imunidade pela prossecução dos crimes que ocorreram em seu mandato.
3. O Congresso Pan-Africano.
4. Um descendente dos colonizadores de maioria holandesa, que foram os primeiros europeus a viver na África do Sul.
5. Um balanço detalhado do trabalho de Tutu na comissão pode ser encontrado em seu livro *No Future Without Forgiveness.*
6. "The Mother", *Commentaries on The Dhammapada.*

Capítulo 7: *A liberdade é mais barata que a repressão*

1. Ponderadas nos capítulos 15 e 16.
2. Luwum foi morto pelo regime de Idi Amin.

Capítulo 8: *Cuidado! Cuidado!*

1. O governo de Anastasio Somoza Debayle foi derrubado em 1979 e substituído pela Frente Sandinista de Libertação Nacional.
2. Uma referência às sanções impostas pelas administrações Reagan e Bush (pai) dos Estados Unidos.
3. Também conhecido como *Acordo de Belfast.* (N. da T.)

Capítulo 9: *Nossa salvação está nas mãos dos judeus*

1. Advogado judeu sul-africano que atuou no inquérito do assassinato, pela polícia, do líder da consciência negra Steve Biko e que se tornou assunto de um filme e de documentários.
2. Um julgamento na pequena cidade de Delmas, África do Sul, em que líderes antiapartheid foram condenados por traição e detidos

para cumprir penas de seis a doze anos. Eles foram absolvidos por recurso em dezembro de 1989 após cumprir um ano de sentença.

3. Uma referência a João 4:22. A redação veio da versão King James da Bíblia; em outra tradução usada por Tutu (Revised English Bible), é traduzida como "é dos judeus que a salvação vem".
4. Parte dos protestos provocados pelas opiniões que Tutu expressou sobre o perdão. Ver capítulo 3.
5. Tutu criticou a primeira-ministra britânica por não assumir uma postura suficientemente forte contra o *apartheid.*
6. Suzman foi uma parlamentar antiapartheid; Slovo, um líder do Partido Comunista Sul-Africano; e Sachs, um veterano e juiz antiapartheid da Corte Constitucional.
7. Reides com base em leis que exigiam que os negros sul-africanos portassem um passe declarando que tinham permissão do governo para morar e trabalhar em determinada área.

Capítulo 11: *Estou aqui diante de vocês*

1. O primeiro-ministro da Rodésia governada por brancos de 1964 a 1979.
2. Romance de Alan Paton publicado em 1948.
3. Muzorewa se juntou a Ian Smith na liderança da administração transicional do país, que chamaram de Zimbábue-Rodésia.
4. O nome dado à política por seus arquitetos em uma tentativa de traduzi-la de modo mais respeitável aos olhos do mundo.
5. As leis que obrigavam os negros sul-africanos a carregar um passe declarando que estavam autorizados a permanecer em determinada área em geral tinham a consequência de separar os trabalhadores de sua família, que estava confinada em zonas rurais remotas, chamadas "terra natal" ou "bantustões" (citados no fim deste excerto).

Capítulo 12: *Absolutamente diabólico*

1. O PNP, Partido Nacional Purificado, é uma ruptura direitista do Partido Nacional governante.
2. Uma referência ao fato de um dos ministros de gabinete de Botha ter insinuado que o "*apartheid* está morto".
3. Isto é, seis rands sul-africanos.

4. Piet Koornhof, o ministro de gabinete responsável pelos negros sul-africanos.
5. Uma referência à Guerra Anglo-Boer de 1899 a 1902.

Capítulo 13: *Não bíblico, não cristão, imoral e perverso*

1. Forças de segurança do *apartheid* cruzaram as fronteiras da África do Sul para matar ativistas do Congresso Nacional Africano com base em Maputo, capital de Moçambique, e em Maseru, capital de Lesoto.
2. "Lei de registro populacional (1950): [obrigava] a população a cadastrar-se em um registro nacional, separando-a por raças; Lei de agrupamentos urbanos (1950): [forçava] a separação física entre as raças ao criar áreas residenciais separadas. Permitiu a remoção forçada de negros de suas áreas de origem." Campos, Celso de. Apartheid na África. *Veja*, São Paulo, 21 mar. 1960. Seção Veja na história. Disponível em <http://veja.abril.com.br/historia/apartheid-africa-sul/indice.shtml>. Acesso em 19 abr. 2012. (N. da T.)

Capítulo 14: *Devemos nos tornar o foco de nós mesmos*

1. Um esquadrão da morte militar revelado recentemente e que foi chamado de "Civilian Cooperation Bureau".
2. Conforme dito antes, as leis do passe negavam aos membros da família o direito de morar juntos, muitas vezes obrigando os trabalhadores a morar em albergues (*hostels*) de áreas urbanas enquanto as respectivas famílias permaneciam nos bantustões.
3. Segundo a Wikipedia, método de tortura e execução primária que consiste em imobilizar a vítima com um pneu cheio de gasolina em volta do peito e dos braços ao qual é ateado fogo. (N. da T.)
4. Os seguidores do Partido da Liberdade Inkatha, uma força então poderosa na província de KwaZulu-Natal, insistiam no direito de portar "armas tradicionais".
5. Ativistas antiapartheid se recusavam a observar o controle policial sobre as demonstrações porque esse controle se destinava a reprimir protestos pacíficos.
6. Um líder branco da oposição direitista pró-apartheid.

7. Afrikaner Weerstandsbeweging, ou Movimento de Resistência Africâner.
8. Padre da Comunidade da Ressurreição, uma ordem monástica inglesa, que foi um dos primeiros mentores de Tutu. Mais tarde ele se tornou bispo, arcebispo e também líder do movimento antiapartheid na Grã-Bretanha.

Capítulo 15: *Zero para seu consolo*

1. As línguas nguni incluem zulu e xhosa, a língua materna de 40% dos sul-africanos — e de Mandela, Mbeki, Jacob Zuma (o presidente do país desde 2009), bem como de Tutu.
2. O título veio de um verso do poema épico *Ballad of the White Horse*, de G. K. Chesterton.
3. Nepad — New Partnership for Africa's Development (Nova Parceria para o Desenvolvimento da África) — é uma iniciativa adotada em 2001 na qual Mbeki desempenhou o papel de líder; seu objetivo é pôr fim à pobreza e promover o crescimento da África ao estimular boas governanças.
4. Em 2008, migrantes africanos que viviam em comunidades pobres da África do Sul foram expulsos, e muitos mortos, em ataques xenofóbicos.
5. As línguas nguni formam um grupo de línguas bantas, do grande grupo de línguas nigero-congolesas, faladas em vários países da África Austral. O mesmo termo é usado para referir os diferentes povos que falam essas línguas. O grupo nguni reune as seguintes línguas principais, estreitamente aparentadas e quase sempre mutuamente inteligíveis: (a) zulu, falado principalmente na província de KwaZulu-Natal da África do Sul; (b) ndebele, falado principalmente no sul do Zimbabwe, na província de Matabeleland; (c) suazi, falado principalmente na Suazilândia; e (d) xhosa, falado principalmente nas províncias do Cabo Oriental e Cabo Ocidental da África do Sul. (N. da Rev.) Fonte: Wikipedia. Disponível em: http://pt.wikipedia.org/wiki/L%C3%ADnguas_ng%C3%BAni. Acesso em 19 abr. 2012.
6. O genocídio de 1994 foi perpetrado por extremistas hutus, que mataram tutsis e hutus moderados.

7. Secretário-geral do Partido Comunista Sul-Africano, assassinado em 1993.
8. Uma lei que proibia o sexo inter-racial.
9. O trocadilho era possível por causa do verbo *to cross*: atravessar, cruzar. (N. da T.)
10. O nome do clã de Nelson Mandela, pelo qual ele é carinhosamente conhecido na África do Sul, é Madiba.
11. Os membros do Parlamento são escolhidos de uma lista compilada pelos líderes do partido com base na proporção da votação nacional que o partido recebe. Assim, a base legislativa depende de uma decisão do comitê do partido, e não dos votos dos constituintes locais.
12. Alusão a uma frase da Carta da Liberdade, documento político histórico do Congresso Nacional Africano de 1955.
13. Um líder africâner religioso antiapartheid.

CAPÍTULO 16: *O que aconteceu com você, África do Sul?*

1. Palestra em memória de Harold Wolpe, que seria julgado com Nelson Mandela em 1963, mas fugiu da cadeia para o exílio dois meses antes do início do julgamento.
2. Conta-se que Zuma disse para o juiz que presidia o julgamento do caso de estupro que a querelante estava sexualmente excitada e que, segundo a cultura zulu, "não se pode abandonar uma mulher quando ela está pronta".
3. O presidente é eleito pelo Parlamento.
4. Durante um mandato de dois anos no Conselho de Segurança da ONU, a África do Sul votou com a China e a Rússia contra uma resolução que condenava as violações dos direitos humanos na Birmânia e colaborou no debate do bloco sobre a crise no Zimbábue.
5. Isto é, uma solução política para o processo de corrupção de Zuma.